Um mundo de ilusões

Somos associados da **Fundação Abrinq** pelos direitos da criança. Nossos fornecedores uniram-se a nós e não utilizam mão de obra infantil ou trabalho irregular de adolescentes.

Um mundo de ilusões
Copyright by © Petit Editora e Distribuidora Ltda., 2014
1-5-14-5.000
Direção editorial: **Flávio Machado**
Assistente editorial: **Larissa Wostog Ono**
Capa: **Danielle Joanes**
Imagens da capa: **Masson | Shutterstock**
Kiselev Andrey Valerevich | Shutterstock
Natalia Sidorova | Shutterstock
Jack Arrington | Freeimages
Projeto gráfico e editoração: **Ricardo Brito | Estúdio Design do Livro**
Produtor gráfico: **Vitor Alcalde L. Machado**
Preparação: **Isabel Ferrazoli**
Revisao: **Maiara Gouveia**
Impressão: **Cromosete Gráfica e Editora Ltda.**

**Ficha catalográfica elaborada por
Lucilene Bernardes Longo – CRB-8/2082**

Wera (Espírito)
 Um mundo de ilusões / ditado pelo Espírito Wera ; psicografado pela médium Sarah Kilimanjaro. – São Paulo : Petit, 2014.
 400 p.

 ISBN 978-85-7253-258-7

 1. Espiritismo 2. Psicografia 3. Romance espírita I. Kilimanjaro, Sarah. II. Título.

 CDD: 133.9

Direitos autorais reservados.
É proibida a reprodução total ou parcial, de qualquer forma ou por qualquer meio, salvo com autorização da Editora.
(Lei nº 9.610, de 19 de fevereiro de 1998)
Traduções somente com autorização por escrito da Editora.
Impresso no Brasil, no outono de 2014.

Prezado(a) leitor(a),
Caso encontre neste livro alguma parte que acredita que vai interessar ou mesmo ajudar outras pessoas e decida distribuí-la por meio da internet ou outro meio, nunca deixe de mencionar a fonte, pois assim estará preservando os direitos do autor e, consequentemente, contribuindo para uma ótima divulgação do livro.

Psicografia de
Sarah Kilimanjaro

Ditado pelo Espírito
Wera

Um mundo de ilusões

Rua Atuaí, 389 – Vila Esperança/Penha
CEP 03646-000 – São Paulo – SP
Fone: (0xx11) 2684-6000
www.petit.com.br | petit@petit.com.br

Tributo a
Fiódor Dostoievski

"Existe algo tocante, impossível de exprimir", escreveu Dostoievski sobre a cidade, em sua novela *Noites brancas*.

"Por qualquer motivo, não consigo deixar de pensar numa jovem frágil, tísica, que às vezes a gente simplesmente não nota. Impossível deixar de perguntar qual poder fez esses olhos tristes e pensativos brilharem com tanto ardor."

Aqui deixamos o nosso tributo ao escritor Dostoievski, que tão bem soube interpretar, em seus romances, as infinitas profundezas da alma russa.

"Oh, irmãos da Terra! Não vos iludais, a morte não existe. Além das fronteiras da matéria, continuamos a existir. Fui e continuo sendo imortal como todos os espíritos.

Na poeira do tempo só os impérios erguem-se e se esboroam, desfazem-se; na textura da matéria espiritual, as ideias se renovam. As formas corporais cedem, mas as almas ultrapassam a morte e vão viver em outra esfera, invisível ao olhar humano.

Enquanto houver personagens lembrando o passado de fausto ou de miséria, o cosmo irá registrar a história individual de cada era.

Mesmo que não passemos pela mesma água que corre de um mesmo rio, o passado, o presente e o futuro se confundem na linha do infinito. Não há tempo nem espaço no astral — há sempre uma história presente.

Crede! Existe vida e não morte. Há uma transição de um estado de matéria condensada para um estado de matéria etérea, invisível aos olhos carnais. Mas a vida é perene.

Oh! Irmãos que viveis no mundo físico, ouvi-me: ninguém morre — apenas nos transferimos, em espírito, para o mundo invisível aos olhos carnais dos seres humanos."

Wera

Sumário

Apresentação, 13

Preâmbulo, 17

Prólogo, 21

1 A mansão, 25

2 Tia Wolga, 29

3 A herança, 37

4 Alguém ao piano, 49

5 O desencarne de tia Wolga, 61

6 O sepultamento, 69

7 Viagem astral, 79

8 Solidão, 83

9 Presenciando cenas macabras, 87

10 Começando a entender, 95

11 As loucuras de tia Wolga, 103

12 Meu tumultuado nascimento, 115

13 Revelações de Andrei, 125

14 Tomado pela loucura, 135

15 Tomando posse da herança, 141

16 Deixando o passado para trás, 147

17 Primeiro contato com Natasha, 153

18 Conhecendo a nobreza, 159

19 Amor obsessivo, 167

20 A missa, 171

21 Na casa do conde Yuri, 177

22 Sementes do Comunismo, 183

23 Tempos difíceis se avizinhando, 189

24 Os tempos difíceis se fazem presentes, 193

25 Natasha mostra sua face indomável, 197

26 Inimigo oculto, 205

27 A partida de Andrei, 209

28 Estranha doença, 215

29 Visões do passado, 223

30 Uma dançarina pálida, 227

31 Visões aterradoras, 233

32 Recuperando-se, 237

33 Conselhos de mãe, 245

34 Ventos novos, 251

35 Enfrentando as entidades das trevas, 257

36 Revelações da bailarina, 263

37 Novo encontro com Natasha, 269

38 Assédio nas sombras, 279

39 Reformando a mansão, 285

40 A resistência de Natasha continua, 289

41 Um estranho personagem, 299

42 Hipnotizado por um homenzinho, 309

43 O lobo interno, 323

44 Sozinho e abandonado, 327

45 Reencontro com Natasha, 335

46 Nova morada, 341

47 Um pouco de paz, 349

48 Encontro durante o sono, 357

49 Relembrando um passado distante, 363

50 Um testamento, 369

51 Os espíritos se manifestam por toda a Europa, 373

52 Um ataque das trevas, 377

53 O socorro vem de Anton, 381

54 Ajudando os necessitados, 387

55 O futuro de Alex, 391

Epílogo, 395

Apresentação

A imaginação, o estilo denso e vigoroso fazem de Wera uma das mais admiradas autoras e contadoras de histórias do nosso tempo. Responsável pelo bem-sucedido romance *Dévus, o Príncipe Egípcio* vem conquistando o público brasileiro.

Como leitora e admiradora da autora, convido o leitor a fazer parte deste fascinante relato, *Um mundo de ilusões*, em que amor e ódio são correntes, se chocam e se desmancham como as tempestades da Rússia, onde a história se desenrola.

Os inimigos de ontem se defrontam no presente de cobranças e desencontros. A disparidade de sintonia faz os personagens sofrerem o estigma da dor e do desencanto por viverem ainda em um estágio de densidade espessa e de mesma proporção, como ímãs que ainda se atraem por traços dominantes em

que a paixão se intoxica com sentimentos de posse, raiva e ressentimento, sem aceitar seus semelhantes e a si incondicionalmente.

Sasha Koslowsky é apaixonado por Natasha, que ama o hussardo[1] Anton Russowsky, com quem se casa. Por um amor não correspondido, Sasha faz da sua vida um verdadeiro desatino: mata, calunia, aproveitando-se dos decadentes aristocratas para lhes tomar os bens, comprando suas propriedades e outros haveres por um preço irrisório.

Dominado por uma única obsessão — conquistar o amor da bela condessinha que o despreza —, Sasha corrompe-se na teia de luxúria, poder e dinheiro, em que honra, integridade e decência são detalhes desprezíveis.

Com a queda do último czar e a ascensão do povo ao poder — ainda no século XIX —, os personagens acabam se encontrando nas ruas de Praga. Natasha vagava com seu filho pela mão, em meio à guerra, com fome e frio, quando se encontra com Sasha, que a leva para sua casa e a trata respeitosamente, iniciando, para o antigo camponês, sua recuperação moral. Entretanto, pelos conhecimentos espíritas, sabemos das nossas responsabilidades. Tudo o que fizermos em detrimento dos nossos semelhantes, cada história mal resolvida, teremos que rever e reparar.

Com Sasha não foi diferente.

Está presente também neste livro o fascínio com que a autora espiritual descreve, com absoluta propriedade, as cenas de efeitos físicos vividos por ela quando participou do nosso mundo, na última encarnação, na Rússia dos czares.

Espero, sinceramente, que este livro alcance muito sucesso, porque a narração de Wera é cativante e nos empolga do princípio ao fim.

---

1. Soldado da corte dos czares. (Nota do Editor)

E agradeço a Sarah por me conceder o privilégio de ler o livro, em seu original, em primeiríssima mão.

Flávia Peduzzi Rodrigues
(MÉDICA ESPECIALIZADA EM GINECOLOGIA,
OBSTETRÍCIA E MASTOLOGIA)

Preâmbulo

Querido leitor, trago a lume uma nova história contada pelo próprio personagem, Sasha Dimitri Koslowsky.

Estive com ele em uma das colônias da dimensão espiritual à qual hoje pertenço.

É uma história singular, mas que mostra as nuanças multifacetadas de nossas vidas em cada mergulho no mundo dos encarnados.

Uma narrativa entremeada de efeitos físicos, como fora minha vida quando encarnada.

O narrador pede-me permissão e solicita-me acompanhá-lo até as terras da Rússia, país natal da minha última encarnação.

A nostalgia fez-nos estremecer, porque não visualizávamos a Rússia do tempo presente, mas

a daquele tempo em que usávamos a roupagem carnal, isto é, de quando ainda estávamos encarnados.

O dia apresentava-se outonal, uma aragem fria perpassava, nostálgica, em um céu quase cinzento, com penachos de nuvens que corriam em sentido contrário. As folhas se desprendiam das árvores frondosas, mas mesmo assim os carvalhos monumentais permaneciam altaneiros.

Nas fachadas das altas casas, as janelas jaziam fechadas, enquanto o vento zunia por entre suas frestas. Um sentimento intraduzível se apossou de nós dois. Um profundo amor se projetou do nosso íntimo ao ver aquela terra devastada pela ganância dos homens que não lhe davam trégua nas suas guerras mesquinhas e de cunho particular.

Os olhos de Sasha marejavam-se de lágrimas, enquanto dizia emocionado:

— *Wera, aqui vivi muitos anos, e, em mais da metade deles, não soube honrar e aproveitar a encarnação que me foi dada por Deus por meio de seus emissários. Meus dias de esplendor foram todos eles aplicados em juntar fortuna e esmagar o fraco. Foi um tempo de perdição, com poucos saldos positivos. Como você está hoje no ofício de relatar e informar às pessoas sobre as vidas daqueles que pela Terra passaram, estou disposto a contar a minha história sem preconceito, e pôr-me a nu, a fim de me desligar desse passado que me faz sofrer por ter perdido a oportunidade preciosa de evoluir, aprender e auxiliar os menos avisados, já que, como você, convivi entre os dois mundos. Possa a minha narrativa servir de alerta a todos sobre a perenidade. Nada morre, tudo se transforma, tal como a semente lançada à terra.*

Como a história dele possui lances fortes, atos abomináveis, pedi-lhe para que narrasse, ele próprio, sua vida de opulência, orgias, desamor e solidão como Sasha Dimitri Koslowsky. É praxe dizer-se que os espíritos não têm sexo nem pátria, e eu vos afirmo que nem sempre é assim. O íntimo desse espírito itinerante continua com seu cerne cravado nas terras russas.

Guardei por algum tempo esta narrativa, pois sabia que ele iria novamente encarnar, e eu poderia ficar mais à vontade para contar sua história sem que ele sofresse ainda mais. Seus algozes não lhe davam trégua, por isso urgia uma encarnação em que, sem a convivência com os espíritos que o importunavam sem perdão, pudesse obter resgate. As tréguas servem para o espírito se reajustar e crescer em amor e inteligência.

Longe da Rússia, terra que presenciou sua desventura, Sasha reencarnou em seguida na Espanha, na cidade de Sevilha. Desta vez, seu corpo físico tinha certa deficiência mental.

Espero que esta narrativa agrade aos leitores que queiram desenvolver a árvore frondosa do Cristianismo Redivivo de Jesus em suas vidas.

Jesus disse: "Eu venci o mundo".[2] Que possamos nós vencer o mundo igualmente, nas múltiplas encarnações.

Wera

---

2. João, 16:33. (N.E.)

Prólogo

O sol, incidindo sobre a cidade espanhola, dourava as casas, os campanários, as alamedas e tudo que nela existia.

No alto de elevado monte achava-se um homem de cabelos castanhos, longos, que refulgiam em tons dourados aos reflexos do sol.

Vestia roupas campesinas, como todos os habitantes da aldeia. Ao seu derredor, mugiam vacas e pastavam ovelhas e cabritos.

O sol foi declinando no horizonte enquanto ele, de cajado na mão, sentado em um aclive, via por entre o lusco-fusco do entardecer dourado um filme inteiro de uma vida luxuosa: o tempo em que vivera na Rússia dos czares.

Seu rosto tinha as marcas do tempo, e não se sabia realmente que idade possuía.

Os olhos, sombreados pela queda da luz, possuíam uma cor indefinível, do castanho-claro ao verde-mar. Era uma figura incomum, e, apesar da sua quietude, fagulhas de inteligência e perspicácia fulguravam no seu olhar.

Ficou por algum tempo revivendo todas aquelas cenas conhecidas nos mínimos detalhes, enquanto sua face se movimentava nas linhas e curvas da pele bronzeada pelo sol escaldante da sua velha Sevilha, prima-irmã de Granada.

Os vultos que se apresentavam em sua visão volitavam na transparência do ar com elegância e suavidade. Ele via um tempo que não mais voltaria, um passado que não tinha passagem no presente. Era a vida, como num caleidoscópio em movimento. A vida nessas paragens passava rápido, com a velocidade de uma tempestade outonal. Entretanto, ele não sofria mais as investidas de seus algozes, porque apenas recordava-se dos acontecimentos, estava imune àquelas no corpo de um deficiente.

Em sua última trajetória, encarnado na Espanha, fora considerado alienado por uns, retardado por outros. Mas, decididamente, ele sabia que nem uma coisa nem outra era verdadeira. Enquanto todos só viam a vida das formas materiais, ele enxergava o outro lado, o mundo dos espíritos, dialogava com eles, e muitas vezes reclamava de sua presença quando eram desagradáveis ou inquietos. Nessa época, nascera entre pobres criadores de cabritos e vacas. Filho mais velho, tornara-se pastor do campo. Os pais diziam que era meio tardo de inteligência porque demorara a nascer. Entretanto, o motivo eram as recordações vividas em um passado distante, que não lhe davam trégua. Como não contava isso a ninguém, tornara-se a chacota do vilarejo. Só depois que desencarnou é que soube realmente que fora, numa época anterior, uma figura principesca, herdeiro de um título nobre de conde e detentor de enorme fortuna. Por causa de um amor não correspondido, fizera da sua vida e a de outros um verdadeiro inferno.

No final do nosso encontro, após seu corpo físico como pastor ter desencarnado, ele me disse:

— *Passo a você, minha amiga Wera, a responsabilidade da narrativa da história de minha existência em meados do século 19, como conde Sasha Dimitri Koslowsky.*

De fato eram outros tempos, mas o espírito que ocupava aquela veste carnal era de Sasha, sem dúvida, e eu sou testemunha disso, porque fui vê-lo antes de levar sua história para o mundo dos encarnados.

Wera

Capítulo 1

A mansão

Anoitecia em São Petersburgo. O céu, riscado por relâmpagos e estrondos descomunais, apresentava um espetáculo assustador. O frio era intenso, a escuridão do dia, que se despedia para dar lugar à lúgubre noite de tempestade, causava arrepio e pavor.

As ruas, quase vazias de calor humano, quedavam-se ante a noite turva e de expectativas inquietantes. Do logradouro viam-se os palácios, cheios de musgo e umidade, onde estavam sendo acesas as azeiteiras. Apenas alguns cômodos eram fracamente iluminados, enquanto outros permaneciam numa sepulcral escuridão.

Aproximei-me de uma malcuidada mansão de porta carunchada e janelas apodrecidas por falta de cuidados com a madeira.

Os estrondos e ribombos e as faíscas de raios distantes não davam trégua à noite turva. Ao chegar à porta mal fechada e tocá-la, as dobradiças rangeram melancolicamente. Sem medo, penetrei na escuridão. Aos poucos minha visão foi se acostumando a ela.

A mansão, transformada em mansarda pelo descuido, assemelhava-se aos lugares fantasmagóricos das narrativas de terror. O mobiliário mostrava-se podre e descascado. Ouviam-se goteiras a se espalhar pelas peças vazias e amplas. O gotejar, monótono e permanente, molhando os escassos móveis que ainda existiam, causava medo.

Fui caminhando, descobrindo, enquanto retinha nas mãos meu gorro de pele ensopado. Encorajei-me e tirei a manta longa e o casacão de lã crua também encharcada que me cobriam até as pernas. Meus pés, em botas velhas e gastas, não se diferenciavam da lugubridade do ermo lugar. Tomei de um pequeno isqueiro, na bolsa em que trazia a minha minguada riqueza, e me atrevi a acender um velho castiçal de prata escurecida. Com ele nas mãos, fui explorando a mansão em estado lamentável, quase em ruínas. Ultrapassei peças e mais peças, corredores escuros, bibliotecas, e deparei-me com uma escada em caracol com corrimão de bronze esmaecido pelo tempo e degraus de mármore descuidado. Fui vagarosamente vencendo a distância, cadenciadamente, como ladrão que toma todos os cuidados para não ser descoberto. Entretanto, de quem eu queria me esconder? Só tinha como companheiro o silêncio da ausência de outro ser humano. Ouviam-se apenas o ruído da chuva e dos trovões e os pingos das goteiras.

Os lampejos dos raios de vez em quando penetravam pelas janelas mal fechadas, de vidros góticos, delineando nas paredes descascadas horripilantes criaturas, deixando meus cabelos em pé. Com arrepios que corriam por todo o corpo, avancei, de pernas bambas, mas determinado a ir até o fim.

E, como fizera no térreo, vasculhei no primeiro piso peça por peça, todas que pude divisar, ante tantas portas e corredores, até me defrontar com uma cena que me causou espanto e comiseração: sob um dossel, em um leito de metal perecível, de casal, jazia uma criatura esquálida, de cabelos longos e fisionomia medonha. Braços abertos em forma de cruz sobre fartos travesseiros, vestida com uma camisola branca como neve, contrastando com aquele lugar abandonado. Parecia dormir, ou estar morta, tal a palidez que se divisava entre os fartos cabelos negros de raízes brancas, talvez há muito tempo sem pintura. Ao seu lado, no silêncio sepulcral, estava um homem também magro e esquálido, de rosto pálido e enrugado. Enquanto a mulher permanecia de olhos cerrados, com a respiração imperceptível, o homem, de olhar perdido num mundo impenetrável, mascava mecânica e vagarosamente um pedaço de tabaco.

Capítulo 2

Tia Wolga

Mexi a cortina de veludo esmeraldino, propositadamente, para chamar-lhe a atenção. Ele, num gesto surdo, moveu o pescoço em minha direção, sem que nenhum músculo se desarticulasse nesse movimento. Apenas os olhos, de um castanho quase verde, iluminaram-se com a minha chegada. E então ele falou em um dialeto russo:

— Sasha Dimitri, por fim você chegou. Havíamos perdido a esperança. Zelava por madame Wolga, que aguarda sua chegada, enquanto eu, desesperançado, achava que seu último pedido não seria cumprido.

— Mas, afinal, quem são vocês? — perguntei. — Atravessei o rio de ponta a ponta, tomei o primeiro comboio e enfrentei frio e tempestade, mas sinceramente não contava com nada. Contudo,

minha curiosidade foi maior que minha prudência. Deixei o campo, a safra que teria que resguardar, para vir atrás de um sonho. Quem sabe você não me esclarecerá algo? Porque lá em casa obtive respostas evasivas e má vontade. Estou de posse de papéis que, segundo entendi, provam que sou detentor de uma herança em móveis e imóveis que talvez eu julgue não merecer e nada ter feito para possuir.

Neste momento, a mulher de aparência enferma abriu lentamente os olhos, perscrutou o ambiente penumbroso e, com voz arrastada e rouca, quase inaudível, falou:

— Andrei, com quem fala? Tenho sede, a febre me queima por dentro, por favor, dê-me o que beber.

O velho, com visível artrite, se moveu com dificuldade para auxiliar a doente a ingerir água e ela disse friamente:

— Que horas são? Já é noite? Tenho frio, agasalhe-me, não posso morrer enquanto não vir Sasha Dimitri. Sinto cada vez mais as forças vitais fugirem do meu velho corpo.

E eu ali estava, quase petrificado, à meia-luz, como se fosse de cera, marionete de um teatro qualquer ou personagem de um museu antigo. A cena, posso dizer, era dantesca. De quando em quando morcegos atravessavam o quarto, céleres, passando pela minha cabeça, fazendo-me estremecer, acometido de um calafrio mórbido e desconexo.

— É noite, madame, o sol há muito se foi. Vou agasalhá-la mais, estamos sem madeira para colocar na lareira, mas posso aquecer bolsas d'água para esquentar os cobertores, o que a aquecerá.

— Andrei, Andrei, tenho vontade de ouvir música para espantar velhas recordações que atazanam minha mente. Ah! O balé do meu país... Gostaria de voltar a assisti-lo. Mas como, se mal posso me mexer na cama... Alexei, Alexei, vá chamar alguns músicos. E que toquem para mim. Quero ouvir música, prefiro ouvir música a me alimentar.

E a voz cavernosa saía de um assunto para outro, com a rapidez de quem tivesse perdido as rédeas da razão.

— Viu, senhor? Há muito está assim. Se não fossem as minhas parcas economias e a ajuda do testamenteiro, pope[3] Serguei, não sei o que estaria reservado para a senhora. Passou tudo que tinha para seu nome, até o dinheiro do banco. Agora quem a mantém sou eu.

— Mas... — disse eu, ingenuamente —, quem é ela?

— Você não sabe? Quem lhe entregou o testamento nada lhe informou?

— Hum! — resmunguei. — Não, não muita coisa. Sinto que a minha vida está envolvida em mistérios. Não tenho pai, e dizem que minha mãe morreu quando nasci. Sou um enjeitado, criado por pessoas às quais tenho que ser eternamente grato. Quando me chegaram às mãos os documentos, heranças de que não me sinto credor, me intimidei.

A mulher, branca como cera, mexeu-se com dificuldade. Já tendo a razão comprometida, confundia presente e passado, numa linguagem que parecia mais metafórica do que real.

— Mikail, não trouxe as joias que encomendei para ir ao teatro? Mande-me trazer o samovar[4]. Quero tomar uma chávena de chá, da casa dos Korby. A safra desse ano, disseram-me, foi muito boa. — E, saindo do devaneio, começou a se agitar e a perguntar por Sasha Dimitri.

---

3. Sacerdote da Igreja Ortodoxa, de categoria inferior na escala hierárquica. (N.E.)
4. Utensílio culinário de origem russa usado para servir chá. (N.E.)

— E o Mítia[5] que ainda não veio! Vá, Andrei, desça e olhe no vitrô da esquerda se ele não está para chegar.

O ancião levantou-se e obedeceu, encaminhando-se para o lugar indicado, quase fechando as pálpebras, e vasculhou o exterior da mansão, mesmo sabendo que nada adiantava fazer aquilo, visto que eu já estava na casa.

A noite estendera-se sobre São Petersburgo. O aguaceiro forte alternara-se com a neve, tornando as paisagens silenciosas, tumulares. Um vento glacial movimentava as árvores, qual demônio insaciável uivando com selvajaria. Todavia, a tempestade havia amainado. O sudário inclemente da neve caía impassível sobre a cidade histórica de czares, reis e imperadores e de um crédulo e analfabeto.

— Barínia[6] — disse o homem —, é noite, as lamparinas das ruas continuam sem luz, e a chuva continua caindo; ninguém se atreveria a enfrentar a rua para providenciar a iluminação.

Eu, que assistia a tudo aquilo, estupefato, não sabia o que dizer. Na verdade, não me enquadrava naquele cenário tragicômico, a não ser pela pobreza de que se revestia a mansão, habitada por aquelas duas pessoas que mais pareciam espectros do que gente.

Entretanto, Andrei retornara à posição silenciosa, ocupando a poltrona que, diga-se de passagem, deveria ter feito muito sucesso naquela monarquia decadente.

Tentei novamente:

— Senhor, senhor, estou aqui, porém não consigo respostas para as minhas interrogações. Quem são vocês, e por que a carta convidando-me para tomar conta dessa herança de que não me julgo credor?

---

5. Diminutivo de Dimitri. (N.E.)
6. Senhora. (N.E.)

— Ah! — disse finalmente o velho, que tinha aparência de mordomo. — O pope da igreja ortodoxa da família dela — e com a mão indica a senhora — estará aqui por estes dias e o esclarecerá de tudo.

Afligi-me:

— Por esses dias? Mas eu não posso esperar, serviços urgentes me aguardam no campo. Não sou dono do meu tempo, tenho patrões rígidos e obrigações sérias a cumprir.

— Hum! — resmungou o homem, em dúvida. — Que dia é hoje? Estamos no começo ou no fim da semana?

Eu, cada vez mais desconfiado com tudo aquilo, respondi perguntando:

— Você não sabe em que dia da semana estamos?

— É... — falou a voz trêmula —, é que de uns tempos para cá minha memória não anda boa.

Naquele justo momento, enquanto conversava com o homem de aparência servil, um piano de cauda, no salão térreo, começou a tocar uma sonata. Aos primeiros acordes, levantei e fui ver quem lá estava. Quando já havia avançado a metade da escadaria em caracol, estaquei o passo e vi, vi mesmo, com enorme susto, que ele era dedilhado por mãos invisíveis, porque, juro pelo Santo Isaac, lá não havia ninguém. Meus cabelos ficaram em pé, as pernas bambas, e arrepios contínuos corriam pelo corpo inteiro.

Retornei, caminhando de costas, sem poder tirar os olhos do piano, que, sem tomar conhecimento do meu assombro, continuava a executar uma ária antiga.[7]

---

[7]. Na época em que ocorreu a presente história, a Europa foi tomada por uma onda de manifestações espirituais e de efeitos físicos nunca antes observados. A Rússia foi palco de milhares de fenômenos. Na França ocorreram os já

Chegando ao quarto da mansão, amplo e de janelas góticas, observei que a cena permanecia estática — a mulher semiadormecida com os cabelos desgrenhados e o homem de terno preto na mesma posição, contudo, totalmente desligado do ambiente.

O frio era intenso, eu estava ensopado, as botas longas, enlameadas; a escuridão era densa e aterradora, o piano continuava sendo dedilhado por mãos invisíveis. Ora com excitação, ora quase lacônicas, as notas se sucediam.

Depois de subir a escadaria, cheguei ao quarto, quase afobado, e bati no ombro do então chamado Andrei. Ele se virou e, ao ver-me, perguntou:

— O pope já chegou?

— Não — respondi —, mas você já viu que o piano está tocando sozinho?

— Ah! — fez o velho. — Já estou acostumado. É a barínia Nadja esperando pelo seu eleito, o conde Vladimir. Ele a renegou por uma camponesa de Perm, fugiu pelo rio Cama e foi morar além das cordilheiras. Morreu explorando minas de ouro e prata lá por aquelas bandas. Nadja, que não casara, quando soube da morte dele suicidou-se, na esperança de se encontrar com ele, mas... isso foi há muito, muito tempo.

Muito tempo depois, soube que ele, na realidade, estava recordando um passado distante com o mesmo personagem da sua época.

— A música que o barine[8] ouve — continuou o velho — era a sua predileta. Volta e meia ela se apresenta para nós e nos fala

---

conhecidos fenômenos das mesas girantes, que foram o ponto de partida para que Allan Kardec iniciasse o seu grande trabalho de codificação da Doutrina Espírita. Para mais informações, consulte *O Livro dos Médiuns* (São Paulo, Petit), Capítulo 4 — Teoria das manifestações físicas, questão 74, item 24. (N.E.)

8. Senhor. (N.E.)

da sua dor e aflição. Diz, inclusive, que nunca pôde encontrá-lo. Quando a saudade aperta pela falta do seu amado, ela senta-se ao piano e toca durante longas, longas horas...

— Mas... — refleti em voz alta. — Então... é mesmo um fantasma que toca aquele piano malcuidado?

— Sim, sim — respondeu ele, já perdido em recordações.

Olhei tudo em minha volta como se não acreditasse no que estava vendo e presenciando. Entorpecido de frio, mas, como sempre, intrépido, corajoso e ligeiro no raciocínio, desci a escadaria em caracol, desligando-me daquele triste som que parecia um choro interminável, peguei algumas cadeiras podres e quebradas e com agilidade as levei em braçadas para cima. Limpei a lareira das teias de aranha e de alguns ratos, molhei um pedaço de pano com um resto de vodca que ainda tinha em uma garrafa sobre a lareira, coloquei-o entre as madeiras e ateei fogo. Tirei as botas sujas de lama e o resto das roupas encharcadas, já quase acostumado àquela construção, em que o piano era tocado por mãos invisíveis de uma mulher apaixonada, e familiarizado até com toda aquela pobreza.

"Hum! Nadja, belo nome, aristocrático. Quem será realmente?", pensei.

O fogo crepitava na lareira alumiando o espaçoso dormitório. Os reflexos me faziam ver as paredes de papel florido velho e destruído pela umidade como também pelos maus-tratos do tempo na rigidez de um clima impiedoso. Após me aquecer e secar meus pertences, servi-me de chá que aqueci no samovar de prata, acompanhado de pão com passas e nata e bolinhos de queijo que peguei do bornal que trouxera para a exaustiva viagem, revigorando-me.

Capítulo 3

A herança

O cansaço da excursão me propiciou adormecer numa mansão desconhecida e velha, em total decrepitude, entre duas pessoas totalmente desconhecidas para mim e ainda por certo perturbadas, sem falar do piano empoeirado que emitia tristes melodias de alguém que não pertencia mais ao nosso mundo.

A noite hibernal foi longa, fria, parcamente aquecida pelas cadeiras velhas às quais havia ateado fogo.

O mordomo adormecera na poltrona em frente à dama que, talvez pela enfermidade e pela não lucidez, tivera naquela noite inusitada um sono acalentador.

De minha parte, sonhei, sonhei muito com o campo, na fazenda em que me criara. Amava aquele lugar — meu universo —, além das cidades próximas à fazenda dos Petrowisk, junto com seus filhos, companheiros de brincadeiras e serviços que, diga-se de passagem, talvez por serem rústicos, não tinham distinção dos mujiks[9]. Trabalhávamos pesado no semeio das plantações, na colheita de soja, milho, cevada, mostarda e aveia e na pastagem em época de safra.

Via-me nos serviços do estábulo, no trato das vacas, na colheita da agricultura, nas festas tradicionais da nossa Santa Lúcia. E no próprio sonho devaneava com festas principescas dos czares. Via-me vestido de hussardo[10], com suas fardas majestosamente elegantes a serviço da família real. Foi uma noite povoada de verdade e aspirações ou, quem sabe, de ilusões.

Um pouco distante deles, afundado em outra poltrona, fiquei até o amanhecer. A lareira estava só em cinzas, e o frio era cortante no inverno que iniciava. Tolhido e com as articulações das pernas endurecidas, abri os olhos.

Ainda fora de mim, pensei se não estava sonhando ainda. Porém, aqueles móveis, a penumbra do ambiente, o cheiro acre de mofo e umidade que entrava pelas minhas narinas fizeram-me voltar ao presente e aos acontecimentos dali.

— Barine, vou preparar o desjejum — falou o velho mordomo. — Já que usou as cadeiras estragadas para fazer o fogo, sugiro que o faça agora novamente, pois o frio está causticante.

Eu, Sasha Dimitri, aos vinte e oito anos, com 1,89 m, forte, porte avantajado, de olhos azul-escuros, pele bronzeada pelos rijos serviços que fazia no campo, um apaixonado pela vida e requisitado por muitas camponesas do lugarejo em que vivia, agora estava ali. Alfabetizado junto aos Petros, eu gostava de ler

---

9. Camponeses. (N.E.)
10. Soldado da corte dos czares. (N.E.)

e de dançar os folclóricos musicais da Rússia e de servir-me de um bom prato de costela de vitela com ervilhas e batatas inteiras com que a senhora Olga, minha mãe postiça — mulher afeita às lides do campo, corpulenta, quase bonita, com o seu vestido rodado e longo —, nos brindava às refeições.

Mas... levantei-me quando fui acordado e, acostumado às ordens, fui logo quebrando cadeiras, atulhando a lareira com elas. Como já havia feito, tomei um tufo de pano embebido em vodca, ajustei-o no meio das madeiras e aticei o fogo. De imediato, a luz e o calor se fizeram sentir no ambiente. Saí dali, desci a escadaria para ver se podia auxiliar o velho, que trazia endurecidas as pernas pelo reumatismo ou pelo clima próprio do meu país. Chegando à cozinha, vi-o atrapalhado com os apetrechos e a fraca luz do fogão, que se recusava a acender.

Era doloroso constatar o abandono da mansão que, segundo Lenine[11] — se esta história fosse narrada em seu tempo —, poderia abrigar dez famílias camponesas que iriam enchê-la de calor humano. Ela estava deserta de emoções vívidas. Agora, com as primeiras neves, nem as rolinhas vinham chilrear nos parapeitos das janelas.

— Senhor — disse eu —, deixe-me auxiliá-lo, tenho prática com fogo. Separe os ingredientes e acenda o samovar. Do resto eu me encarrego.

— Não — disse o velho trêmulo —, servi a casa dos Koslowsky desde a mocidade; é minha obrigação, e você, barine, é um deles. Enquanto tiver fôlego e força, estarei ao seu serviço.

Eu nada entendia, homem do campo acostumado sem meias palavras, criado sem pai nem mãe... Ah! Como eles me fizeram falta

---

11. Ou Lenin, pseudônimo de Vladimir Ilitch Ulianov (1870-1924), um revolucionário responsável em grande parte pela execução da Revolução Russa de 1917. (N.E.)

na infância. Sem afeto legítimo, enciumava-me quando via mamãe Olga às voltas com seus pequenos por entre os braços fortes e maternais. Fugia para o porão da casa grande e lá chorava muito, rezando pelos meus pais, que, segundo diziam, estavam mortos.

Agora me encontrava às voltas com um calhamaço de papel, documentos de uma herança que, aparentemente, me pertencia por direito, e chamado de barine por um velho a se desconjuntar — não sabia se pela idade ou pela doença própria dos países frios.

Sempre fui muito condescendente com idosos, e até jeitoso. Peguei-o pelos braços, abracei-o como se fosse uma criança e fiz com que sentasse enquanto eu me arranjava com o fogo. Não sei por que, mas dos seus olhos apagados caíam lágrimas silentes, acinzentando-lhe o olhar. Talvez por não mais poder se mover com desenvoltura ou por ver um jovem tão amável, sabe-se lá.

— Escute, vovô, vou chamá-lo assim, vim de um lugar distante até chegar aqui em São Petersburgo, e lá não há mesuras, nem senhor nem patrão, todos somos camponeses, mujiks, mesmo que eles sejam donos de terras, e a igualdade é a mesma do maior ao mais ínfimo empregado. Levantamos cedo, todos, menos as crianças — enquanto falava, ia arrumando o desjejum. — As mulheres ficam nos afazeres domésticos. Elas aprendem a cozinhar, lavar, fazer trabalhos manuais, bolos e pães, muitos pães, para nos esperar depois de um dia longo, farto de serviço, que é o que não falta lá. Boris Petrowisk, meu pai de criação, é o primeiro a se levantar. Acionava o sino de chamada e nos dava trinta minutos para nos vestir e tomar café. Depois de enchermos a pança, como ele fala, nos dirigimos ao que nos diz respeito.

Com toda essa explicação, intentava atrair a atenção do idoso. Mas, comprovei, era mais surdo do que eu imaginava, ou se perdia em suas lembranças. Ali ficou, sentado e esfregando as mãos, observando o fogo que crepitava aquecendo o lugar onde nos situávamos.

Tossia, tossia muito, uma tosse cadente, característica de uma malcuidada pneumonia que complicava sua respiração; no entanto, sentia-se grato por alguém tê-lo substituído no preparo do alimento cotidiano das manhãs frias de São Petersburgo.

Acabei fazendo tudo. O café e o chá. Coloquei rosquinhas, pão e tortas no forno carcomido do fogão. Algumas nem puderam ser aproveitadas.

Lavei leiteiras com água quente junto com pratos, xícaras, talheres e, com um guardanapo que achei na cômoda da copa e que trazia grandes iniciais, sequei-os. Esses, pelo menos, estavam livres de pó.

— Bom, senhor Andrei — disse eu —, a louça e a prataria estão limpas e asseadas. Atiremo-nos à comida.

Apesar de estar vivendo momentos inusitados, para ser franco, já me sentia em casa. Talvez herança do campo e da hospitalidade que nós, camponeses, oferecemos a qualquer visitante.

Andrei, do seu estado comum, desligado da vida, arregalou os olhos quando viu a mesa posta, com tudo limpo em seu lugar. O cheiro gostoso que vinha do alimento aguçou-lhe o paladar.

Taciturno, esperou que eu sentasse e ficou ao meu lado para me servir — as tradições da aristocracia dos nobres russos.

— Não — disse eu —, você não vai me servir, vamos lanchar juntos.

Então o levei a uma cadeira de espaldar alto, ricamente desenhado, com relevos de arabescos em madeira nobre. Mais um susto levou, mas, para falar a verdade, a fome devia ser grande, pois de imediato começou a se servir. Ficou tão atrapalhado que misturou leite, chá e café numa mesma xícara.

Levantei-me de onde me encontrava e, brincando — meu estilo costumeiro —, pedi licença, como fazem os criados perante seus superiores, e o servi devidamente.

Assim tomamos nosso desjejum em paz, bem... por algum tempo, porque, no andar de cima, a idosa gritava como gralha em árvores desfolhadas.

Andrei não a ouviu, mas eu, que era saudável e com bons ouvidos, lembrei que havia me esquecido de mais um personagem daquela casa. Casa que, segundo constava em papéis timbrados, me pertencia, mas os que ali estavam, não. Neste meio-tempo, Andrei, que quase não tinha dentes, molhava os biscoitos no pires da xícara para poder engoli-los melhor. Olhei para ele, descorçoado, e falei, tocando-lhe o ombro:

— A senhora lá de cima está nos chamando.

De certo "nos chamando" não era a expressão correta, mas eu precisava de uma forma para chamar-lhe a atenção.

Ele tropeçou nas palavras, o alimento caiu-lhe da boca, derramou o resto do leite e pôs-se de pé, atabalhoado, sem saber para onde correr.

Coloquei a mão nos meus cabelos, como a arrancar deles uma melhor ideia para tratar de mais aquele problema.

— Calma — disse-lhe —, vou dar um jeito.

Preparei uma bandeja com o que ainda restava, pus um bule com chá acompanhado de algumas xícaras de porcelana que, segundo ele, pertenciam àquela senhora de mãos brancas e dedos longos e finos, denunciando a estirpe de que provinha, e, junto com a xícara, algumas iguarias. Iguarias? Não, mas o que sobrara do nosso lanche. E lá fomos nós, Andrei meio tropeçando, e eu diminuindo os passos para acompanhá-lo. A penumbra continuava densa, as pesadas cortinas de veludo verde-esmeralda permaneciam fechadas. Apenas vislumbrava-se aquele esqueleto de roupas brancas, de olhar esgazeado, a chamar pelo mordomo. Ah! O dia começara escuro lá fora, e dentro do solar os ânimos não eram dos melhores.

Servi a barínia idosa como se fosse "mamãe" Olga. A bem da verdade, com certo receio. Lá sabia eu como servir uma nobre?

Mamãe Olga era uma prussiana grande, forte, maçãs do rosto sempre coradas; pulso firme, e, às vezes, por ser corpulenta, nas noites de alguma grande comemoração, entrava no jogo de braço com seus robustos filhos e, para surpresa dos espectadores, ganhava algumas vezes.

Ah! Tempos bons eram aqueles, mas, como dizia tio Nikita, "tudo que é bom dura pouco". Todos cresceram, casaram e se foram, sobrara eu. Acho que não tenho vocação para casamento. Empurraram-me, garganta abaixo, muitas moças de boa família, mas, quanto mais tentavam, mais eu me afastava delas. Acho que era romântico, sonhava com a mulher certa! Nunca conheci minha mãe nem meu verdadeiro pai... Era um enjeitado. Mamãe Olga ficava brava quando a questionava sobre eles e quando dizia o quanto era infeliz sem os carinhos que poderia ter. Ela me dizia: "Menino, meu menino, não entristeça a sua Olga. Por acaso não lhe tenho dedicado meu carinho de mãe? Mãe não é só aquela que dá à luz o filho, mas a que cuida, vibra com suas conquistas, se enternece com os porquês dos quereres, sabe tudo e o protege das maldades do mundo".

E logo em seguida pensei: "Hum, preciso deixar de lembrar o que não tem mais volta, estou com vinte e oito anos, já passei da idade de ser chorão".

E me passando uma descompostura, tirei minhas mãos que descansavam entre os meus joelhos e falei a mim mesmo com convicção: "Rapaz, toma jeito. Ao serviço. Vamos fazer esta mansão ficar um brilho".

Mamãe Olga, nesse departamento, nos dera boas aulas. Ela dizia que a limpeza e o asseio são fundamentais para a saúde. Peguei a bandeja de prata com a chávena de chá, após servir a madame, caminhei pelo longo corredor do andar de cima e desci de imediato à cozinha.

A temperatura continuava a baixar, o termômetro na parede já marcava mais de vinte graus negativos. Olhei para aquele enorme casarão, quase vazio, com o tilintar dos seus candelabros de cristal, pratarias, porcelanas, tapetes, tudo sob uma poeira danada que cobria a casa inteira.

Desci à lavanderia, no subsolo, e vi fornalhas e grandes caixas d'água ligadas a encanamentos especiais, levando-me a constatar que assim mantinham, nos áureos tempos, água quente, certamente em tempo integral, para todo o serviço da casa. Ao dar com elas fiquei desolado, pois estavam há muito tempo desativadas. Todavia, vi água nas caixas, praticamente congelada, mas não me dei por vencido e me animei. Fiz algumas flexões de pernas e braços, assobiei antigas canções da terra que me viu crescer e, saudoso do campo e da lida, arregacei as mangas e me atirei ao trabalho.

Aticei fogo nas fornalhas com o material que ainda existia ali e, de ânimo apaixonado para o serviço, comecei a varrer a área inteira; depois a lavei e a limpei. "Ah!", pensava com os meus botões, "se mamãe e papai Petrowisk me vissem!".

Acabei com toda aquela sujeira e de sobra liquidei quantos ratos pude encontrar e demais bichos nocivos. Aproveitei que a chuva havia parado e varri a área enorme do pátio e depois fiz uma grande faxina no subsolo de chão coberto de ardósias pretas, ornamentado com muitos bancos distribuídos por ali, todos com desenhos exóticos, mas harmônicos.

O relógio da igreja de Santo Isaac bateu lentamente doze horas. Saí às pressas e fui ao grande mercado me abastecer de gêneros. Tive de fazer muitas viagens a pé, porque as caleças[12] tinham as rodas e os eixos quebrados, e não se viam cavalos disponíveis naquela abandonada mansão.

Preparei uma bebida à moda cossaca e, depois de ingeri-la, senti-me menos dormente de frio. Fui para a cozinha e preparei a refeição do meio-dia. Levei-a para cima em duas etapas, dei um jeito na mesa redonda do amplo dormitório e nos alimentamos os três ali. Primeiro a dama, que comia com vontade e bebia o vinho madeira com certa sofreguidão. Limpei-lhe a boca e a fiz deitar-se sobre os fartos travesseiros; depois, convidei o velho Andrei a cear comigo à mesa posta.

Se Boris, que me criou e a quem chamava de pai, nos visse, diria que estávamos comendo que nem padre, isto é, nos alimentando muito bem. O pobre velho comia com comedimento e com grande educação, parecia um conde, ao passo que eu pegava o pão com naturalidade, o partia com as mãos e as usava para comer o pernil que assara junto com outras iguarias, como batatas e cenouras. Degustamos doce de groselha em calda e tiramos a mesa. Contudo, só eu desci, isto é, em duas idas e vindas, de ânimo alvoroçado. Sempre detestei sujeira, poeira, desorganização, e novamente arregacei as calças e a camisa de flanela xadrez, atirando-me à limpeza.

Passara-se um bom tempo quando a hora da Ave-Maria foi anunciada pelas badaladas do sino da igreja, e já era quase

---

12. Pequena carruagem. (N.E.)

escuro. Havia-me esquecido até do chá do meio da tarde, mas não esmoreci. Voltei à cozinha e preparei um chá bem saboroso no samovar, desta vez acompanhado por pão fresco, bolo com passas de uva e torta de nozes, e nos servimos galhardamente, retomando depois à limpeza dos ícones de mármore que ficaram impecáveis nos nichos das paredes.

Já passavam das dez horas, e o silêncio era tumular. A alimentação sadia e quente permitiu aos idosos dormirem serenamente. Meu corpo doía todo, tomei um banho quente, uma caneca de chá e me deitei, morto de cansaço. A noite de inverno da Rússia é sempre longa, e às vezes exaustiva. Chuva, vento, neve e frio eram o clima e as paisagens mais comuns. Os dias sombrios tornavam as pessoas sisudas, com fisionomias zangadas. Havia no ambiente uma leve melancolia. Saudade, quem sabe, do astro rei.

Capítulo 4

Alguém ao piano

Amanhecia, e alguns pássaros pipilavam nas pingadeiras da mansão. O sol, tímido, intrometia-se pelas frestas das janelas, anunciando o dia que iniciava.

Apesar da noite bem dormida, ainda me sentia morto de cansado, não havia mais fogo na lareira, e o frio era como um espectro, presente em todo lugar. Animei-me, coloquei meias de lã quente, uma calça de pijama bem grossa por baixo da calça externa, vesti uma blusa de lã crua e me dirigi para a peça principal da casa. Alimento havia para ser cozido, e eu aticei primeiro o fogo na lareira, deixando-me ficar por ali, exercitando-me para começar as tarefas do dia, que afinal não eram poucas. A seguir fui até a cozinha, acendi o fogão, aqueci pães de mel, enchi o

samovar e tomei meu chá. Depois, preparei o desjejum dos meus hospedeiros e subi, ligeiro, a escadaria em caracol.

Andrei ainda dormia na poltrona, com um cobertor grosso sobre os joelhos. Entretanto, a barínia vagava, com olhar semimorto, pelo quarto, aguçando o ouvido.

Fui ao banheiro do quarto, molhei uma toalha de mão e passei-a pelo rosto e pelas mãos dela, falando com muito carinho, dizendo que estava tudo bem e que cuidaria dela. Houve um momento em que pareceu que recuperara a lucidez, virando-se para mim perguntando o meu nome.

— Eu sou Sasha Dimitri. Vim porque caíram em minhas mãos papéis que dizem ser de uma herança de parentes próximos.

— Louvado seja Deus, ele ouviu as minhas preces, temia morrer sem vê-lo. Então você é o Mítia, filho de Nadja!

Quando ela pronunciou esse nome, eu, que não prestava atenção, agucei os sentidos e a inteligência e perguntei com entusiasmo:

— Barínia, você conheceu Nadja, é verdade que ela foi minha mãe? Cresci sabendo-me órfão.

— Você — replicou — não vivia na casa de Olga e Boris Petrowisk?

Meu coração quase parou. Então a louca não era tão alienada quanto parecia.

— Mas... como é que a senhora sabe o nome dos meus pais adotivos?

— Ah! — suspirou. — Essa é uma longa história!

E lágrimas copiosas desceram pela face macilenta, como torrentes de um rio atormentado.

Interessei-me. "Que longa história é essa?", pensei. "Vivi toda minha vida fazendo perguntas com respostas vazias, com evasivas."

O dique reprimido da minha emoção rompeu-se, desarmando a minha fortaleza, e eu me vi chorando com ela, compungidamente.

Com a voz embargada, aquela mulher — quase um fiapo de vida — soluçava e ao mesmo tempo me consolava. Tomou as minhas mãos nas suas, mexeu em meus cabelos, afagou-me, enquanto murmurava:

— Quando o pope chegar você será esclarecido e tomará posse de tudo que é seu por direito.

Nesse instante ouvimos o piano tocar freneticamente, sem intervalos, nos atarantando.

A nobre dama entrou em pânico e perdeu novamente a lucidez. Dizia coisas desconexas, mas entre elas, bem claro, ouvia-a dizer:

— Perdão, Nadja, perdão! Restituo tudo que lhe tirei, não me atormente mais, deixe-me morrer em paz!

E, de imediato, chamou:

— Andrei, Andrei, quero pope Alexei aqui, vá buscá-lo antes que seja tarde. A hora se aproxima, o tempo urge.

O velho mordomo, aparvalhado, olhava pela janela lateral e resmungava:

— A igreja é tão longe daqui, como eu irei encontrar o pope sem um carro que me leve lá, já que não tenho mais idade para isso nem força nas pernas? — E assim se expressando chorava, lamentando-se.

— Não se lamente, hoje mesmo eu darei um jeito, porque também é de meu interesse conhecer o padre. Ele irá esclarecer muitas dúvidas. Tome seu café antes que esfrie. Vou reavivar o fogo desta lareira, porque a do térreo já está acesa.

Sentei-me defronte a ela e ali fiquei, em crise de saudades, em um abandono introspectivo.

O piano tinha silenciado e eu me perguntava se não era alucinação por estar num palacete decadente com dois velhos nas raias da alienação. Sua lucidez era questionável.

No campo, na província de onde viera, falava-se muito em vaca sem cabeça, lobisomem e em fantasmas, isto é, almas do outro mundo. Entretanto, nunca havia dado crédito àquilo. Quando muito, pensava que vodka demais na cabeça fazia enxergar até papai Noel em Sexta-feira Santa!

Minha mãe... Como seria? Mamãe Olga, ao me levar à estação, limpara as lágrimas com as costas das mãos e me dissera, aflita:

— Meu filho, nada do que lhe disserem vai diminuir o meu amor por você. Lembre, querido, que o criei em condições iguais a dos filhos que saíram das minhas entranhas.

Eu a acalmara e a beijara, confortando-a:

— Eu sei, mamãe, também o meu amor pela senhora jamais diminuirá.

Papai Boris, menos afeito às expansões de afeto, abraçara-me, beijara-me e dissera:

— Seja lá o que for, não esqueça, seus pais estão aqui para o que der e vier. Cuidado com a cidade grande, com os trapaceiros que lá existem, não se deixe enganar. Siga sempre a intuição. Olga fez um bom bornal, não vai passar fome.

Nos olhos azuis de mamãe tremulavam lágrimas, e as suas tranças cor de trigo — que eu amava muito —, em forma de coroa em cima da cabeça, denunciavam sua realeza — a rainha das mães —, pois o era legitimamente.

O fogo crepitava nas duas lareiras enquanto a minha mente caminhava em sentido contrário, saturada de boas e ternas recordações.

Tomei da bandeja, desci para o andar térreo, fui para a cozinha, parte conjugada da mansão numa área considerável, lavei, sequei e coloquei tudo nos seus devidos lugares. Sentei à mesa de base granítica, um tanto desanimado, pensando no que fazer, quando o piano começou a tocar uma música camponesa lá da minha terra. Atravessei a área de circulação e me encaminhei ao salão principal, onde no dia anterior havia feito limpeza.

Era como se estivesse magnetizado sob os acordes do som que me atraía, me puxava, esquecendo meu raciocínio. Ao me aproximar, pus-me a raciocinar, argumentando: "Será que este instrumento não é um realejo camuflado?".

Levantei a tampa e vi que era um lindo piano. "Bem", disse para mim mesmo, "vamos tirar a limpo tudo isso."

E, feito uma pessoa fora de foco, já que todos naquela casa eram assim, meio lunáticos, meio desmemoriados, meio não sei o que, perguntei ao piano:

— Piano, vou lhe fazer perguntas; se for "sim", bata nas teclas brancas, se for "não", bata nas teclas pretas.

E aí comecei:

— Piano, você é um espírito? Sim ou não?

O piano modulou as teclas pretas, o que queria dizer "não".

— Ah! Mas você é gente?

O piano prontamente respondeu "sim", teclas brancas.

— Mas como pode? Se você não é espírito, também não é gente. Porque gente é espírito.

Aí ele endoideceu, tocava as teclas brancas, as teclas pretas, dando a entender que estava aflito.

— Bem — disse eu —, vamos melhorar a pergunta. Se você não é espírito, mas é gente, então você é uma alma do outro mundo, de acordo?

E o piano respondeu, como se estivesse rindo: "sim, sim, sim, sim".

— Hum! Agora estamos nos dando bem. Você é o "fantasma" da minha mãe Nadja?

E o piano respondeu várias vezes: "sim, sim, sim".

No momento em que o instrumento musical pronunciou o "sim" modulado, meus cabelos ficaram de pé, e um arrepio frio passou-me pela coluna vertebral.

Fraquejei. Minha testa destilava suor frio, e uma leve tontura eclipsou meu pensamento.

O "fantasma", para me acalmar, pois me viu agitado, voltou a tocar a música tradicional das nossas festas campesinas, lá de onde eu viera, querendo com isso apaziguar meu coração. Fiquei ali por um bom tempo, enquanto o piano me refrescava ternas lembranças da minha infância bordada de afeto, o carinho da minha mãe Olga, com seus famosos pães de mel, os doces cristalizados ou em calda, as tortas das mais variadas frutas do nosso pomar, tudo isso a melodia me instigava a recordar. E eu continuava a relembrar a mocidade, as danças de quadrilha, os violinos afinados que encantavam nossas noites frias. As primeiras namoradas, empurradas por mamãe Olga. Na sua filosofia de viver a vida, dizia que "ninguém pode ter um coração solitário, senão seca o ideal". Tinha saudade das velhas lendas que falavam de amor eterno, de amizade, de cidadania. As lembranças saíam facilmente da minha mente a cada melodia tocada. Se fizesse um raciocínio justo, eu havia sido o mais protegido por mamãe Olga, a ponto de provocar ciúmes nos seus três filhos biológicos.

Papai Boris às vezes intervinha com seus chistes de machão: "Olga, Olga, você vai deixar esse menino afeminado. Não o proteja da vida, pois quando tiver que enfrentá-la estará desprovido de força para suportá-la".

E lá continuava eu com as minhas reminiscências — e as moças, então? Não gostava de nenhuma delas. Eram robustas demais, com muitas sardas e, ainda por cima, sonsas. Dançava com todas, adorava os ritmos, mas quanto à atração... não, não a tinha por nenhuma delas.

De que valia ser de boa família se não me agradava? Eu perseguia um sonho, e nele ela era linda — ombros estreitos, silhueta delgada, cabelos cor de ouro eternamente soltos —, e as que me apresentavam os tinham trançados e enrolados em forma de rodas nas laterais da cabeça. Eram bobas, simplórias, e só nos olhavam com a intenção de casar. Meu Deus, era como se fôssemos reprodutores escolhidos pelas fêmeas para produzir bons rebentos.

Não queriam saber se havia ou não amor, o que mais desejavam era livrar-se do jugo severo da família patriarcal.

Nesse ínterim em que o passado se tornava presente e a reminiscência aflorava de todos os lados, o piano modulava alguns arpejos — um marulhar de água do mar, às vezes triste, singular e até monótono.

Por fim, voltei ao presente, cheio de coisas indefiníveis, não ditas, misteriosas.

Quem afinal eu era? — e isso me dava calafrios. Saberia finalmente minha verdadeira origem, iria me encontrar com meu passado, com minhas raízes, e isso me deixava alegre e expectante. Uma ansiedade mal disfarçada, sobretudo sofrida.

Olhava aquele local amplo, rico, espaçoso, uma verdadeira vila —, e eu não havia explorado nem a décima parte daquela mansão em ruínas.

O piano emudeceu, e eu acordei daqueles pensamentos para os compromissos do dia, pois tinha que buscar o pope daquela família antes que a barínia falecesse sem um consolo cristão.

Levantei-me de onde estava, espiei a rua: o sol ainda estava sob o manto da bruma cinzenta, e o vento glacial dobrava os galhos das árvores. O frio era insuportável.

Já havia dois dias que me instalara na mansão, e só o que fazia era limpar e cozinhar para mim e para meus hospedeiros.

"É Sasha", disse, falando comigo mesmo, "que mudança, hein? Ontem, feliz e descomprometido de tudo. Trabalho era festa, e os bares eram seus maiores objetivos no final das tardes; hoje, você instalado em uma mansão em que o piano fala e ainda diz ser sua mãe. Hum! Que mistério tudo isso."

Ah! Estava descorçoado. Não conhecia ninguém em São Petersburgo, e a igreja ficava tão longe... Mas eu não era homem de chorar derrotas. Não fora assim que Boris Petrowisk me ensinara.

— À luta, à luta — disse em tom alto, e só o eco me respondeu.

Saí dali e me dirigi para os grandes quartos de vestir. Abri as várias portas dos cômodos e examinei com cuidado casacos de pele, gorros, calças de lã crua, meias grossas, botas de cano alto, e assim fui descobrindo as vestimentas, umas puídas e, na maioria, mofas. Apesar do cheiro que delas exalava, não me acovardei. Sacudi-as e vesti-as — tantas que mal podia me mexer. Tomei de um cachecol longo de lã, passei-o ao redor do pescoço e saí à rua.

Precisava trazer, fosse como fosse, o pope Alexei para dar sossego àquela pobre mulher e o perdão aos seus pecados. Ela tinha uma aparência repugnante, e às vezes eu até sentia certa repulsa em servi-la. Mas meus sentimentos cristãos superavam minha abjeção.

Caminhei algumas quadras e, como se a sorte me ajudasse, encontrei uma carruagem de aluguel. Como tinha rublos para um mês, tomei-a, e o cocheiro levou-me até o mosteiro onde vivia o pope.

Ao chegar, o vento zunia pelos cantos do mosteiro num canto lúgubre, talvez anunciando tristes e trágicos acontecimentos. Desci da carruagem e segui até a entrada, bati com força com a argola de ferro no portão de carvalho hermeticamente fechado. Após algum tempo, um padre de pouca estatura, mas rotundo, veio ao meu encontro. Quando lhe disse com quem desejava me comunicar, conduziu-me para dentro, deixando-me numa saleta pequena, forrada de madeira crua, onde existia modesta mobília, e foi atrás do pope.

Esperei com certa ansiedade enquanto o pêndulo do relógio marcava de maneira monótona os minutos. Passaram-se quinze quando se apresentou à minha frente um senhor dos seus presumíveis 70 anos, extremamente magro e alto, cabelos compridos e barba longa e grisalha. Cumprimentou-me com voz baixa e serena. Quando lhe dei meu nome, comentou que era detentor de papéis que me diziam respeito. Sentamo-nos num banco tosco. Pope Alexei fez o sinal da cruz. Olhou-me fixamente e falou:

— É uma longa história, pensei que o braço da morte me alcançaria antes de ter que revelar e recordar o passado. Entretanto, estamos aqui, eu, velho, tomado de uma artrite que não me dá sossego, e você... — e passando os olhos pelo meu físico — aí está, um belo rapaz, saudável e um tanto provinciano. Olga fez um bom trabalho, que Deus a proteja e lhe redobre a saúde.

— Então, santo pope, há realmente um segredo que deve me revelar?! Vim por causa da dama que suplica sua presença. Está à beira da morte. Prometi levá-lo para a extrema-unção.

— Ah! — disse com voz rouca, quase inaudível. — A barínia Wolga! Sim, ela precisa de muitas preces e da misericórdia do Eterno. Afinal, foi ela que deu início a toda essa tragédia.

— Pope, no caminho o senhor me conta, estou interessado em ajudar aquela pobre mulher.

— Hum, hum, se a conhecesse, teria opinião diversa. Mas é melhor assim. "Não saiba a vossa mão esquerda...",[13] falou o Senhor.

---

13. Mateus, 6:1-4. (N.E.)

Capítulo 5

O desencarne de tia Wolga

O pope muniu-se de um manto pesado e tomou nas mãos um rosário e uma caixa que continha um álbum e muitos apetrechos.

— Assim que atender à baronesa — disse ele —, quero ter uma longa conversa com você, meu filho, pois sou encarregado de lhe falar e revelar coisas que dizem respeito à sua vida.

Saímos à rua, o dia escurecia. Entramos na carruagem e debandamos à mansão. Levamos um bom tempo para chegar. As ruas estavam com muito gelo, e o vento açoitava o dia que morria. Dentro do carro nos mantivemos em silêncio. O sacerdote de vez em quando falava alguma coisa, entredentes, como se falasse só para si. Suas mãos enrugadas e inchadas revelavam sua artrose.

Por fim, chegamos. Ajudei-o a descer da carruagem, paguei o cocheiro e adentramos. Tiramos os casacos pesados, pois na lareira a madeira queimava, aquecendo o ambiente, e subimos ao primeiro piso. O velho galgava os degraus vagarosamente, agarrando-se ao corrimão de bronze, e assim o conduzi ao dormitório da dama.

Desci e fiquei na ampla sala, aguardando.

A noite chegara. Lá fora o vento vergastava as árvores desfolhando os galhos, pingos esparsos batiam no peitoril das janelas. O pope santo ainda não descera, e já estava lá há um bom tempo.

Afligi-me. O que se passaria de tão grave? Nem o mordomo descera com a chegada do velho sacerdote. Aqueci o chá no samovar, retirei algumas rosquinhas guardadas no armário, servi-me e aguardei com paciência as horas que, gota a gota, se escoavam no tempo como os sustenidos e bemóis do piano fantasma.

Após uma longa espera, desceu o santo pope, e, junto com ele, o mordomo. Ambos venceram devagar cada degrau, taciturnamente, como se estivessem cumprindo um dever há muito tempo esperado.

Levantei-me e perguntei ao santo:

— Como está ela?

— Expirou em paz. Finalmente descansa. Pagou caro suas inconsequências.

E continuou:

— Chame uma carruagem, estou exausto. Deixo com você a caixa com alguns pertences. Examine-os. Amanhã, se o tempo for promissor, virei para conversarmos e esclarecer tudo.

Sua voz estava por um fio, notavam-se seu cansaço e esgotamento, e as dores reumáticas não lhe davam trégua.

Coloquei o casaco de pele e o gorro, calcei as botas e fui até o lugar de aluguel trazendo de volta a mesma carruagem. Acomodei o santo nela e despedi-me com um beijo nas suas enrugadas mãos, deixando-o partir.

Não conhecia ninguém em São Petersburgo e estava com um problema. Tinha um cadáver para enterrar, o mordomo permanecia ausente mentalmente, e a noite seria longa, como são todas as noites de inverno na Rússia.

Subi a escadaria ondulada, atravessei o longo corredor, até chegar no dormitório da barínia Wolga. Ao abrir a porta, vi que o padre e Andrei já a haviam vestido para o enterro. Estava branca como a neve. Seus cabelos, longos e pretos, bem arranjados nas laterais do rosto, se espalhavam pelos ombros descendo até a cintura. Colocaram sapato de festa, uma blusa de renda e uma saia de tafetá, longa. Seus braços estavam cruzados, e as mãos, entrelaçadas. Sentei-me na poltrona em frente à lareira que ainda crepitava e fiquei matutando sobre o porquê de tudo aquilo. Que mistério envolvia aquela mansão em ruínas, de móveis nobres, taças de cristal e baixelas de prata? Qual afinidade haveria entre um provinciano como eu e aquela família em decadência?

Fora excluído dela por vinte e oito anos, nem registro possuía. Eu era um ninguém que passara a vida querendo esquecer o passado que não conhecia, que me era nebuloso e intrigante. Justamente quando estava por me conformar com o desconhecido passado, casar e formar família com as provincianas moçoilas que a mamãe Olga me empurrava, chegara sem aviso uma carta urgente junto com alguns papéis me dizendo que eu era possuidor de uma herança e teria que, o mais breve possível, tomar posse dela.

Estarrecido, comecei a chorar pela dama que morria abandonada e por mim mesmo, pela mãe que não conheci e se apresentava ao meu entendimento em forma de música. Meus sentimentos estavam incendiados, e minha alma, aturdida. Lágrimas corriam silenciosamente pela face molhando minhas mãos, que jaziam cruzadas.

Adormeci ao calor da lareira e tive sonhos desencontrados — um homem enforcado subia e descia a escada em caracol puxando a morta pelos cabelos. Minha mãe tocava uma música fúnebre, enquanto dezenas de morcegos ruflavam perto do teto e depois miravam aqueles seres e os atacavam sem piedade. Todavia, o quadro não era permanente; mudava a cena, e eu assistia a um nascimento. Eram dois meninos, um estava dentro de uma bacia de porcelana cheia de sangue e o outro chorava muito nos braços da parteira, uma mulher alta, grande e de aspecto repelente. Limpava o recém-nascido, enrolava-o em um cobertor, entregando-o a uma pessoa com uma capa preta e um xale na cabeça escondendo o rosto. Na cama, uma mulher translúcida e desmaiada não tomava conhecimento do que se passava ao seu derredor. Respirava com dificuldade, enquanto um médico, ao seu lado, media-lhe a pressão, olhando-a com certo tormento.

A criança continuava a chorar, sem consolo. Envolveram-na com mais agasalho, e a pessoa de capa longa tomava o infante, descendo pela mesma escadaria de mármore, e saía à rua. Ali, em frente à porta de madeira nobre, esperava uma carruagem com um homem uniformizado, à disposição. Adentrava no carro, que corria desabaladamente.

Eu voltava ao salão de refeições, e o quadro permanecia o mesmo: o homem enforcado arrastava o cadáver da morta e, apesar da falta de ar em que se encontrava, com uma chibata na mão a castigava severamente. Enquanto isso, a marcha fúnebre mantinha seus prelúdios.

Meu coração batia num compasso irregular, um medo aterrador tomou conta de mim, e eu me esforçava para fugir daquele lugar lúgubre, todavia as minhas pernas não me obedeciam. Desejei gritar, mas a voz estrangulava na garganta. Até que me lembrei de rezar a Deus suplicando ajuda. Quando pronunciei as eternas palavras de Jesus "Pai-nosso que estás no céu...", acordei.

O fogo havia terminado na lareira, eu estava congelado, e os meus pés, frios e dormentes. Olhei ao derredor e tudo estava como antes, num silêncio sepulcral. Mesmo assim, meus nervos estavam à flor da pele. Talvez eu estivesse impressionado por permanecer com um defunto junto a mim e adormecer ao lado dele. Passei os olhos sobre a morta, e ela estava exatamente como a havia deixado. Contudo, o silêncio era pesado e cheio de previsões sinistras, diga-se de passagem.

Olhei o relógio, passavam das quatro horas. Levantei, mexi os membros, movimentei meu pescoço para a direita e para a esquerda, cadenciadamente, quando ouvi passos que vinham do longo corredor. Meu coração deu um salto — será que o que sonhara não era sonho e havia acontecido mesmo? Um suor glacial passou por todo o meu corpo. Os passos se aproximavam, e eu escutava uma respiração cansada e ofegante. Suspendi a minha, então dei com Andrei arrastando os pés cansados e me chamando com sua voz rouca e fraca.

— Barine, o fogo acabou lá em baixo, mas aqueci o chá no samovar. Há biscoito de nata e pão de mel. O senhor não quer aproveitar e se alimentar?

Ah! Respirei fundo, não era nem fantasma nem defunto para me assustar, era somente Andrei.

— Barine — disse-me ele —, tem de providenciar o caixão para a dama, ela me encarregou de comprá-lo. Tenho comigo muitos rublos que lhe pertenciam para serem usados nesta ocasião.

Pediu-me para ser velada na capela de Santa Sofia e, antes de ser enterrada no mausoléu da família, que uma missa fosse cantada em sua homenagem. Dou-lhe o dinheiro e o senhor se encarrega de tudo. Há lá um pope que conhece a barínia e sua família, o pope Serguei. Trate com ele, que já está a par dos desejos da falecida.

Ouvi com atenção as determinações que o mordomo me passava e os últimos desejos da baronesa Wolga. Passei a mão na cabeça, um tanto preocupado. Nunca havia tratado de velórios, esquifes e toda a parafernália em volta disso.

"Bem", disse para mim, "deixa pra lá, quando amanhecer, tomarei as providências necessárias."

Capítulo 6

O sepultamento

Desci e encaminhei-me para a cozinha, nosso lugar das refeições, sentei-me à mesa e servi-me de chá-preto, que, por sinal, estava muito bom. Comi alguns biscoitos de nata, algumas fatias de pão de mel e me aqueci. Ao terminar a refeição, lavei as xícaras e o que estava sujo e, de imediato, acendi a lareira com os móveis carcomidos por cupim. Ali atirei cadeiras, almofadas com brocados de cetim, de veludo, sem nenhum remorso. Quando as labaredas ficaram altas, voltei ao andar de cima e fiz a mesma coisa, reacendi a lareira do quarto com os móveis que não tinham mais conserto, sentei-me defronte ao fogo e coloquei as mãos no rosto para melhor avaliar a situação. Fiquei assim, absorto, por um longo tempo, pensando no que fazer.

O dia clareou, o vento havia fugido para outras bandas, e o sol raiou timidamente naquele inverno. Abri minha bolsa e contei o quanto ainda me restava. Fiquei um tanto preocupado, pois estava com poucos rublos. Mais uma semana, e teria de voltar ou arranjar emprego.

"Ha!", lembrei, "tenho a herança."

Entretanto, o que eu via era tudo ruína. Carruagens sem rodas e com eixo quebrado; paredes rachadas, tudo em decadência. Se não fosse o mau tempo, até que poderia consertá-los, contudo, para isso, precisaria de muito dinheiro e auxílio de um ferreiro. "Mas, pensando bem, será que nessa herança não há algum lucro? Hum, não adianta ficar adivinhando, tenho de me movimentar."

Atrás de mim, calado e em pé, estava Andrei, aguardando minha decisão.

Olhei para ele e perguntei:

— Será que nesse testamento que ainda não estou de posse há algum dinheiro, Andrei?

— Sim, senhor, sei que há muito e está nas mãos dos banqueiros. O pope testamenteiro lhe dirá, ele sabe de tudo e está encarregado de colocá-lo a par.

— Sei. — respondi descrente, enquanto pensava: "A casa e toda a vila estão decadentes, se tivessem tanto dinheiro, manteriam a mansão e suas adjacências sob cuidados; a madeira não apodreceria, o pomar não teria morrido, e o jardim não estaria em estado lamentável. Bem, não adianta ficar aqui supondo, preciso agir".

Eram 8 horas da manhã. Troquei de roupa, coloquei o gorro de pele, calcei as luvas de couro, vesti um capote pesado, calcei as botas contra o frio e a lama que campeavam nas ruas. Deixei o mordomo sentado defronte à lareira do térreo e busquei a rua.

Tomei uma *troika*[14], mais barata que a carruagem, e debandei ao centro de São Petersburgo em busca do pope Serguei, responsável pela catedral gótica dos ortodoxos.

Levei algum tempo e, quando lá cheguei, fui direto falar com o pároco daquela nave. Entrei na primeira missa da manhã de uma sexta-feira, ajoelhei-me, como de praxe, ante ao altar e aguardei o ofício terminar.

Após muitos cânticos e muitas orações, os fiéis foram se retirando um por um da igreja, permanecendo apenas os coroinhas e o padre. Vendo-me sentado nos últimos bancos, este desceu pelo estrado do altar e veio ao meu encontro. Abaixei-me e beijei-lhe as mãos em sinal de respeito e, sem delongas, fui logo ao assunto. Ouviu-me sem interromper e depois me disse que o caixão estava no mosteiro onde morava e que havia sido adquirido pela baronesa há muito tempo.

Conduziu-me até lá e observei um caixão de madeira ricamente recamado por desenhos em alto-relevo, ornamentado, e também a tampa, por filetes de bronze e flores do mesmo metal.

— Já esperávamos pelo falecimento da baronesa Wolga, e ela o aguardava com ansiedade. Você é Sasha Dimitri, não?

— Sim — respondi —, e cada dia que passo em São Petersburgo mais me surpreendo com o que presencio, mas, enfim, diga o que fazer e farei tal como o senhor autorizar.

— Leve o caixão na *troika*, coloque o corpo nele e o traga para a igreja. Do resto eu me encarregarei. Há a missa, o coral e o sepultamento. Barínia Wolga teve muitos inimigos e não era bem-vinda na sociedade imperial. Todos foram se afastando dela.

---

14. Trenó em tamanho grande, puxado por três cavalos aparelhados sob um arco enfeitado com guisos, muito usado na Rússia antiga. Desliza sobre uma base longa, própria para neve. (N.E.)

Com certeza não haverá pessoas para homenageá-la. Todavia, não importa, ficaremos juntos e oraremos pelo espírito atormentado. E, em nome de Deus e Jesus, desceremos seu ataúde à terra da fazenda, para que ela fique entre seus ancestrais. Depois conversaremos. Vá e não demore, aproveite o tempo, que está a nosso favor. Lá na fazenda está também sua mãe, a doce Nadja, que morreu de amor por você. Contudo, bem, isso é uma longa história. Saberá quando encontrarmos o santo pope Alexei. Juntos, o esclareceremos, sem omitir nada. Bom dia — disse, despedindo-se —, apresse-se. O cadáver já deve estar em decomposição. A hora urge.

Aturdido, tomei da condução, junto com o caixão, e retornei à vila. Já passava do meio-dia, e havia muito que fazer.

Abri a porta de madeira podre e dobradiças enferrujadas, entrei, logo sentindo o calor agradável do ambiente aquecido pelo fogo da lareira. Andrei alimentara-a, sem deixar o fogo morrer, com a própria mobília da casa.

Tirei o astrakan[15], o gorro, as luvas, as botas e, só de meias, aproximei-me das chamas que crepitavam na lareira. Deixei o ataúde na entrada, perto do móvel onde estava o cabide para colocar as roupas e guarda-chuvas, ingeri um chá que o mordomo havia preparado. Todavia, o que eu queria mesmo era um alimento sólido, meu estômago doía de fome. Acostumado ao regime do campo, com comidas fortes, não iria me contentar com chá e biscoitos, mas, enfim, para acalmar e enganar a fome, eu me servi. Após aquela leve refeição, levei o caixão para cima com a ajuda quase inócua de Andrei. Com certa reserva, peguei o corpo rijo da baronesa — ao mesmo tempo em que me arrepiava dos pés à cabeça — e o coloquei no caixão. Para desdita minha, o piano,

---

15. Originariamente, casaco de pele de cordeiro. (N.E.)

em fúria, tocava uma daquelas tumultuadas músicas de Wagner[16], o compositor louco. Estarrecido por tudo aquilo e de alma incendiada pelos acontecimentos, não me contive. Desci e fui logo falando com autoridade ao instrumento musical, que nesta hora batia furiosamente as teclas.

— Pare, pare já. Basta o que tenho passado nestes poucos dias para ainda me ocupar de você. Se realmente foi minha mãe, tenha caridade por mim. Estou passando por uma prova difícil, nunca vivi tão maus momentos.

Bastou eu dizer essas palavras, e o piano parou abruptamente, e tudo voltou ao silêncio. Subi a escadaria cansado e descorçoado:

— Diacho — murmurei —, vim atrás de uma herança e da possível descoberta dos meus pais. E cá estou, às voltas com uma mansão decadente, uma morta, um caixão e um mordomo alienado que me dá mais trabalho do que serviço. Ah, como paizinho Boris e mãezinha Olga me fazem falta. Será que não estou me envolvendo em alguma encrenca? Não estarei enrascado com tudo isso? Cadê os meus parentes? Devo tê-los, onde se esconderam? Podem até pensar que eu matei a tal condessa.

Tal pensamento me fez tremer por dentro. Afinal, aqueles eram dias difíceis, em que a traição e a mentira corriam soltas, e o povo revoltava-se com as determinações imperiais. Qualquer um podia ser condenado por falsos testemunhos ou por mera vingança. Vira, na província rural, muitos amigos serem presos por nada, apenas por suspeita.

Disseram-me, certa vez, que eu era regido pela sorte. Não servi como soldado na guerra, pois não tinha certidão de nascimento. Eu era simplesmente um ninguém, e isso me doía. Afinal de contas, fora feito para a guerra, para defender meu país e para

---

16. Compositor de música clássica. (N.E.)

trabalhar defendendo crianças e mulheres. Mas, não, comigo tudo aconteceu ao inverso. Meus irmãos adotivos, os três filhos de mamãe Olga, haviam sido convocados. Dois voltaram, um morreu. Somente eu fora poupado, e por isso muitos faziam troça de mim. Minha virilidade gritava alto à minha coragem que não fora posta à prova. Voltava dos bordéis, dos bares, arrasado, querendo a todo vapor servir no exército.

Por fim, me conformara. Quando vi amigos e companheiros voltarem mutilados, me aquietei.

Mesmo tendo vivido vinte e oito anos com meus irmãos "adotivos", não tinha nenhuma afinidade com eles. Tanto que, depois de vir para São Petersburgo, não tive mais contato com os dois que sobreviveram à guerra.

Agora isso, o imprevisto. Não conhecia ninguém e não fora abordado por quem quer que fosse enquanto estava na mansão lavando e limpando, abrindo as janelas que davam para os balcões, fazendo o ar ventilar no interior da mansão mofada. Entretanto, não conhecia a décima parte dela, com as portas fechadas e emperradas, janelas totalmente cerradas para o interior do lado habitável do velho casarão.

"Bem, deixemos de ruminar o que não tem jeito, tratemos de levar o caixão mortuário para a igreja."

Com muito esforço, desci o esquife. E com o auxiliar da *troika*, junto com Andrei, debandei para a igreja, onde nos aguardava o sacerdote. Já passava das três horas da tarde. O sol ainda aquecia languidamente a natureza. Descemos o ataúde e o introduzimos na nave por uma porta lateral. O pope da casa santa nos conduziu a um pequeno salão, onde decerto ele fazia os últimos reparos e rezava pela alma da morta, encomendando-a, com seu palavrório ininteligível, às moradas do Senhor.

Compramos muitos cestos de flores naturais e ornamentamos o caixão.

O padre já havia rezado a missa em homenagem à defunta, agora só faltava sepultá-la no jazigo da família.

Feito tudo como ditava a santa igreja em favor dos seus mortos, voltei para a mansão. Estava exausto, deprimido, muito só, nenhuma viva alma fora prantear a baronesa, com exceção de nós três, pope, Andrei e eu. Ninguém lhe fora levar o último adeus.

Que mulher seria aquela que durante a vida não cultivara nenhuma amizade? Vivera solitária e solitária morreu.

Que crime cometera ante os seus e a humanidade para viver e morrer tão só?

Ah, os ricos! Os nobres! A minoria próspera, com o poder nas mãos, com tudo para aprender a viver e a se relacionar junto até dos monastérios, e, no entanto, tão incompreensivos, medrosos, cada um por si e Deus por todos.

Isso não acontecia no campo, éramos todos solidários, fraternos na alegria e na tristeza. Repartíamos o que tínhamos na comunidade em que vivíamos, sem nos atermos em recompensas ou mesmo pensar em retribuição. Vivíamos apertados, possuindo do pouco apenas o necessário, sem, no entanto, nos revoltarmos contra patrões e contra Deus.

Era quase noite, o sol despedia-se do dia em lampejos de luz.

Meu estômago roncava, lembrei que não havia me alimentado convenientemente. Tomei um longo e agradável banho. Troquei de roupa. Ela cheirava a cemitério, a lápide fria, a aromas fortes. Usei um roupão adequado, enquanto Andrei, sob o calor da lareira, cochilava.

Peguei um pernil de peru defumado, massa e cebola, cortei em fatias e joguei numa panela para cozinhar. Coloquei tudo na mesa e convidei o meu hóspede a me fazer companhia. O cheiro acre dos condimentos saturava o ambiente de aroma agradável.

Andrei, acostumado a alimentar-se de modo frugal ao entardecer, isto é, de café com leite e broinhas, pediu-me desculpas e foi servir-se do chá que estava quente no samovar. Mastigou umas poucas rosquinhas e ficou satisfeito. Permaneceu à minha frente na mesa granítica, para me fazer companhia, observando a disposição com que eu comia. Comi fartamente e disse ao bom velho:

— Andrei, agora é hora de dormir. Amanhã vou ter que acabar a limpeza, alimentar as caldeiras para aquecer as águas das tubulações, ir à cidade tomar algumas informações quanto à minha situação aqui e o que realmente me pertence. Pelo menos desse primeiro episódio desincumbi-me bem. Deite-se perto da lareira, que está quentinha, eu vou subir e dormir perto da outra, para não deixar o fogo acabar. Boa noite. Apague o candelabro e tenha bons sonhos, hoje foi um dia estafante, merecemos descansar.

Subi e fiz uma cama de pele de camelo, peguei uma colcha de pele e um bom travesseiro, e ali mesmo me atirei. O corpo todo me doía. Como o estômago estava apaziguado, adormeci logo.

Capítulo 7

Viagem astral

O primeiro sono foi pesado, sem pesadelo, todavia, passado algum tempo, ouvi alguém dizer ao meu ouvido: *"levanta e vem"*. Obedeci sem reclamar. Em vez de caminhar, alguém colocou os braços debaixo dos meus, e eu subi pelos telhados do edifício, passei por eles[17] como se fosse um fantasma e demandamos ao infinito. A princípio levei um enorme susto: como o meu corpo, grande e corpulento, atravessara a cumeeira da mansão sem causar dano ao telhado? E me senti leve, com outra disposição, profundamente feliz, em plena liberdade. Ganhei o céu, e, apesar do frio, ele não me intimidava. A aragem que batia no meu rosto era extremamente agradável. Da abóboda

---

17. Trata-se de uma propriedade do espírito; a matéria não lhe opõe obstáculos, o espírito atravessa tal como a luz o faz com os corpos transparentes. (N.E.)

celeste olhei São Petersburgo por inteiro, com as suas infindáveis pontes, igrejas, vilas, palácios, mansões, principalmente a morada principesca da família imperial. A lua, nesta noite, estava encantadora, cheia e prateada — o satélite amigo e velador da Terra.

Entretanto, com o inesperado, eu não atinava como estava voando[18] sobre a cidade, embora sabendo que alguém, que eu não divisava, abraçava-me pelas costas me fazendo dar rasantes impressionantes.

Rodei por um longo tempo, presumo, até que aterrissei numa província parecida com a minha, com campos cultivados de trigo, milho, sorgo, muito bem cuidados, assim como pomares de árvores verdejantes saturadas de frutas. Um tanto atordoado, comecei a voar em direção a uma casa de alvenaria, de arquitetura modesta, mas limpa e arejada. Quando abri a porta, avistei inúmeras pessoas, umas conhecidas, outras nem tanto. Algo me dizia que as conhecia de uma data que se perdia no tempo do relógio cósmico.

Fui ovacionado por todos, muitos me abraçaram e me beijaram. Vi mamãe Olga, a me pedir perdão com lágrimas nos olhos, ao que respondi:

— Por que tenho que perdoá-la, se você foi a melhor mãe? Quem sabe melhor do que a verdadeira, que se me amasse não me entregaria a você.

Papai Boris também estava ali, com os olhos marejados de lágrimas. Como era discreto, não dava vazão, às claras, ao seu contentamento. O mais interessante é que, entre os que me cumprimentaram, vi muita gente que havia desencarnado, como meu irmão adotivo que perecera na guerra.

---

18. Na verdade, ele estava volitando. Veja mais em *Revista Espírita* — Aprendizagem (janeiro de 1859). (N.E.)

Quando a memória me trouxe à tona a diferença, confundi-me, e disse para mim mesmo: "Cruz-credo, pensei que fulano e beltrano haviam morrido; vai ver que sonhei. O que está se passando comigo, onde estou, dormindo ou acordado?".

Capítulo 8

Solidão

O sonho se esvaiu como nuvens esgazeadas no céu. Retornei pela mesma via que viajei, ainda assim não consegui descobrir quem me acompanhara. Sabia que era conduzido, porém minha visão nublava quando firmava os olhos para saber quem era. Pensei que o acontecimento havia durado poucos momentos, no entanto, quando acordei, o sol levantava no horizonte. Recordei com interesse o sonho que me deixara com sensação agradável. Logo em seguida, lembrei que o dia seria cheio, havia muitas coisas a serem tratadas, resolvidas, solucionadas.

Sozinho numa metrópole, sem conhecer ninguém praticamente, a não ser os popes e o mordomo, teria que me virar sozinho para tudo.

"Por onde começar?", pensava. A pequena carruagem de dois lugares teria de ser consertada, assim

como seria preciso alimentar as caldeiras para aquecer a água, acender o fogão, preparar o desjejum e ainda dar uma ajeitada nos cômodos que usava.

O dia clareou, o frio era intenso. Lá fora, o vento sibilava por entre as árvores e pelos cantos dos edifícios. Sentia-se que seria mais um daqueles dias terríveis. Contudo, não poderia me acovardar. No campo era muito pior, e nós enfrentávamos qualquer tempo, com qualquer medida de frio, para cuidar dos animais, tirar leite das vacas, localizá-las nas mangueiras, sem levar em conta seus mugidos reclamando quem sabe da nossa intromissão. O serviço era de todos, e ninguém ficava sobrecarregado.

O leite quente e o pão de forma fresco estavam sempre à nossa disposição. Saíamos para as lides campestres bem alimentados. Entretanto, ali, naquela grande cidade de tantos solitários, faltava tudo, diria calor humano, solidariedade, troca de afeto. Em meio a isso, eu era só e estava muito só.

Ah! Não adiantava recordar tudo aquilo. O que precisava ser feito tinha de ser feito. Era melhor deixar as divagações para outra oportunidade, talvez no ócio, para encher o pensamento de boas saudades.

Capítulo 9

Presenciando cenas macabras

Naquela noite, a tempestade tornava a atmosfera densa, e o frio castigava meu corpo. Sonolento e cansado, consegui dormir a duras penas, com o corpo doído das tarefas do dia e das preocupações. Desprendo-me do corpo e, em espírito, saio para ver o barulho que se fazia no andar de baixo. Com estranheza, ouvi e vi o que vou narrar.

Era estarrecedor. Eu olhava aquilo com certo receio. O lugar estava sombrio, mais parecia uma peça de teatro, e eu, um espectador. Não me encaixava naquela loucura, que fugia do real na minha vida de encarnado; parecia que uma cortina transparente nos separava. Mas, mesmo assim, ali estava, e não conseguia fugir; embora com muito pavor, fiquei estático, olhando sem poder me mexer, sem entender o que realmente se passava. Mas o que era aquilo, por Deus?! Alguma coisa que eu jamais vou esquecer. O som e uma gritaria infernais me aturdiam, então não pude deixar de ver e ouvir aquela peça demoníaca. Quando comecei a me inteirar, mais lúcido, sobre o que se passava, fiquei ali, com os pés plantados, observando, tenso e temeroso, porque aquilo me acertava as emoções e os sentidos. Qual o objetivo daquilo tudo? Porventura estava tendo um pesadelo?

Ao ouvir o piano e ver quem tocava, observei que era minha mãe, Nadja. Em seguida, dei com os olhos na pessoa que estava sendo castigada e reconheci Wolga. O homem com a corda no pescoço, pressupus que fosse o tratador de cavalo, meu pai. Fiquei assustado, sim, mas, curioso, não me acovardei, continuei observando tudo.

O piano estava irritado, músicas e acordes desencontrados rugiam como o vento lá fora. Da escadaria de mármore rosa-pálido, desceram o homem e a mulher, em estado lamentável. O homem, com a corda no pescoço, segurava pelas mãos a mulher de cabelos pretos e desgrenhados. O espectro feminino desceu desabaladamente e, com gritos guturais, pedia piedade. O homem, de voz amarfanhada, respondeu:

— *Perdoar nunca, nunca. Quando pedíamos ajuda e comiseração, você nos negou, fria e despoticamente. Ah! Mas todos morrem para o mundo das formas, e você também. Esquecia, desgraçada, que desceria ao túmulo e, como nós, pertenceria a outra dimensão? Ha, ha, ha! Divina vingança! A vingança é um prato que se deve comer frio. Eu e ela — e apontava a mulher ao piano — esperamos com destemida paciência. Quantos anos mesmo já se passaram? Quinze... vinte e tantos? Ha, ha, ha! Pensava que a extrema-unção e a absolvição dos seus pecados pelos padres a livrariam de nós? Desgraçada mulher perjura, o céu está longe demais*

para você e para a dureza do seu coração, que nos colocou no inferno. As chamas, megera, não nos queimam por fora, elas estão localizadas dentro de nós e não nos dão trégua, nem de dia nem de noite. Há uma eternidade nós estamos aqui, aguardando a festa final.

O homem, tresloucado, de barba amarfanhada, cabelos crespos e olhos chispantes, desceu a mulher pelos cabelos até o salão onde a outra, de cor marmórea, tocava incansavelmente, alheia, na aparência, ao ato dramático, mas sem perder nada do que se passava aos seus sentidos. De certa forma, agradava-lhe aquela cena medonha.

De vez em vez, o homem afrouxava a corda no pescoço para poder sugar o ar que lhe faltava e voltava a torturar a mulher-espectro. Todos eram igualmente "almas do outro mundo"!

Descia e subia, puxando-a pelos cabelos com uma precisão mórbida. E quando parecia que iria se cansar, o piano recomeçava a instigar o castigo, ele lhe mudava a forma, tomava de um açoite de corda crua, molhava-o em uma vasilha que estava ao seu alcance e a golpeava até se cansar.

— Aqui — disse ele com sua voz fanhosa — *não há trégua para a dor. Ninguém desmaia ou dorme, porque não possuímos mais a forma orgânica como casulo para nos esconder na rede de um sistema nervoso bem equipado. Vamos, levanta, desgraçada, está na hora de novas emoções.*

Pegou os braços da mulher, atou-os com uma corda de nós campestres e a ergueu até o teto. Naquele instante, adentraram o recinto centenas de pessoas que queriam também participar da festa macabra. O enforcado cantava o ato ao som da música tétrica, era como se mil demônios dirigissem uma orquestra caótica especializada em tortura e maldade. Todos tinham um chicote na mão e, conforme a maldade que a mulher houvesse perpetrado, cada um aplicava o castigo.

Alguns deram dez chibatadas no lugar mais sensível à dor. Dor? Bem, é o modo de nos fazermos entender na vida física. Os gritos da mulher eram lancinantes, e o pedido de socorro com que suplicava era inócuo, ninguém aparecia para socorrê-la daquele funesto e maquiavélico suplício.

Aquilo se passou durante horas que a ampulheta do tempo esqueceu de marcar; eram tempos sem tempo, em que os segundos e os minutos não contavam, apenas se escoavam sem nenhuma mudança, sem volta, sem esperança. Ora o suplício era na propriedade da cidade, no campo, nas ruas, ora nas igrejas e no cemitério. No campo amarravam-na e a atiravam nas águas geladas dos rios, nos açudes. A defunta, não acostumada com a nova vida no mundo dos espíritos, afogava-se. O ar faltava e os olhos pareciam sair das órbitas, era um castigo inenarrável, fazendo-a ter convulsões e câimbras indescritíveis. Eles então a retiravam e a penduravam para secar em algum galho de carvalho, sob a vigilância de um dos que por ela foram prejudicados.

No ar, sob o azul do céu, materializava-se a cena da mulher tocando piano com arranjos introspectivos, causando verdadeiro pavor à vitima, porque o toque musical era indício de uma nova prova, uma nova sanção, mais uma perversidade. Pelo Nazareno! O que faz o sofrimento quando achamos que não o merecemos e ainda não conquistamos um sentimento maior — o perdão!

Em dado momento, um sacerdote de olhar terrífico puxou tanto a mandíbula da mulher que ficou com ela nas mãos, e então vi que era Wolga, a qual se debatia de dor e ódio, e, por que não dizer, a ponto de seu corpo transformar-se em uma tocha viva. Meu Deus, seus olhos esbugalhados reviravam-se na ogiva do rosto. Não acreditava no que via; era como se estivesse hipnotizado ou seria uma encenação, ou então estaria eu sendo vítima de algum tipo de alucinação? Mas, não! Eu estava lúcido, e aquilo de fato estava acontecendo num mundo que ainda desconhecia — o mundo espiritual!

A mulher vítima também era algoz, por força da expressão. Além da angústia de todos aqueles que agora a maltratavam, fora movida a vida inteira por maldades de todas as espécies, daí perder, do outro lado, autonomia sobre si, tal como o cidadão que perde a liberdade quando corrompe a do outro, seja pelo roubo ou por falcatruas quaisquer. Era odienta; contudo, prisioneira. Perdera a faculdade de ser livre, seus atos malignos a tornaram prisioneira de si mesma. Naquele instante, estava de braços e mãos amarrados, à mercê do resultado de seus atos nefandos. E, que ironia, achara que a morte a livraria de tudo e de todos pelas mãos da confissão e da comunhão extrema no último suspiro exalado no corpo. Vã ilusão para os incrédulos e para os crédulos que no leito da morte pedem absolvição dos seus pecados!

"Ninguém ficará fora do reino de Deus", falou Jesus, como também propalou "a cada um segundo as suas obras".[19]

Os homens nascem com os mesmos direitos e os mesmo deveres, seja qual for a classe que habitem. A inferioridade do próprio homem, sem o conhecimento do perdão legítimo, vai fazê-lo aprender com a chibata das cobranças indignas, e, neste vaivém, ele viverá experiências, na maioria das vezes, aprendendo a duras penas a lapidar a pedra preciosa do próprio potencial.

Enquanto isso se passava no outro lado da vida, do lado de cá, no planeta Terra, eu, Sasha Dimitri, estava às voltas com a papelada da herança, com a posse das propriedades e dos muitos

---

19. Apocalipse, 22:12. (N.E.)

milhares de rublos que haviam sido colocados em mãos de banqueiros e que naquele instante estavam à minha disposição para retirá-los e aplicá-los como bem me aprouvesse.

Capítulo 10

Começando a entender

P ope Alexei finalmente me chamou para me contar a minha história. Junto com pope Serguei, reunimo-nos na igreja. Pope Alexei começou a contar a longa história do meu nascimento de forma tão minuciosa que, às vezes, me levava às lagrimas.

Pope Alexei era um homem formidável, mesmo estando a serviço da religião católica, era sensível às potencialidades do espírito e conhecedor da imortalidade da alma e das comunicações espirituais. Detinha capacidades extrassensoriais e conhecia a fundo as pessoas mais do que elas pudessem falar de si próprias, porque lia suas almas. Conhecia sobejamente a alma atormentada de Wolga, sabedor de suas maldades e despeito de tudo que se referia à irmã. Vivia muito à noite entre os dois planos, tanto mate-

rial quanto o espiritual. Por ser um espírito iluminado, fazia suas viagens para a outra dimensão, nas quais tomava conhecimento na íntegra dos acontecimentos da família e das coisas que estavam por acontecer. Amava aquelas pessoas e as tinha como filhos de seu coração, compreendia suas fraquezas e falhas. Conselheiro da família Koslowsky, tinha especial predileção por Najda, que lhe contava tudo sobre sua vida, confiante na discrição, inclusive do amor secreto pelo cavaleiro de sua fazenda. Os amigos espirituais o colocavam sempre a par dos acontecimentos e do que ocorria na família, inclusive da vida de Vladimir e Nadja, mas não poderia interferir no livre-arbítrio de ambos. Orava com fervor para que as coisas tomassem um bom rumo para os dois. Possuidor de todo esse conhecimento, estava apto a contar em detalhes tudo a Sasha quando ele viesse tomar conta da herança.

Ele começou assim...

— Nadja Alexandra, segunda filha dos nobres da corte do imperador, fora prometida desde a tenra idade à família dos Nabokov, da mais fina estirpe da Rússia. Entre seus descendentes não havia estrangeiros, todos pertenciam à legítima gema do país. Yuri era um rapaz impetuoso, louro, pele creme, olhar arguto, cavalgava com maestria, e nas corridas de obstáculos ninguém o vencia. Tinha amor pela vida. Amava o esporte, os cavalos, as mulheres e as artes em geral. Era um jovem de boa índole e, como todo filho de nobre, não se preocupava com o futuro, deixando isso nas mãos dos mais velhos.

"Nadja, apesar de ser tímida na adolescência, nunca havia posto empecilho a este contrato, todavia era extremamente sensível, às vezes até nervosa. Tinha o temperamento excitável, embora sua aparência fosse jovial. Vivia entre os folguedos próprios da sua idade: cavalgar no verão e divertir-se com suas bonecas matrioshka[20] à beira da lareira, ou jogando peteca nas estações primaveris, molhando os pés nas gotas de chuva nos temporais de verão.

Aos catorze anos fora passar as férias em uma das ricas propriedades da família adquirida há pouco tempo e que ela não conhecia. Era uma linda fazenda, que não ficava distante de São Petersburgo. Embora Nadja fosse muito frágil, e as viagens a deixassem muito cansada, entusiasmou-se para conhecê-la. Na ocasião, conheceu um tratador de cavalos puro-sangue. Era mais velho do que ela, todavia preenchia seus sonhos de menina-moça. Nadja apaixonou-se perdidamente pelo belo cavaleiro, que, por sua vez, possuiu-se dos mesmos sentimentos em relação a ela. A princípio, timidamente, ele se mantinha a distância, apenas atendendo-a nas solicitações para ajudá-la a cavalgar, ensinando-a a acelerar o trote pelas pradarias da fazenda. Contudo, quando seus olhos se encontravam, saíam chispas, meteoros estelares, desejos ardentes de se abraçarem.

Solicitado por Nadja a qualquer empreendimento, estremecia, e, prestativo, atendia às suas necessidades. Os raros roçares de mãos, ao lhe dar as rédeas do cavalo preferido, faziam-no estremecer nas mais íntimas fibras, e acontecia o mesmo com ela. Logo a aproximação mais estreita seria inevitável, mas causaria provações com consequências nefastas. Ela, por ser de família de estirpe, deu o primeiro passo, tendo com ele diálogos para se informar dos trabalhos campeiros e saber mais sobre cavalos.

Foi o verão mais maravilhoso que Nadja já passara, junto com o tratador de cavalos. Ele era jovial, alegre, amava a vida e

---

20. Conjunto de bonecas em tamanhos decrescentes, em número indefinido, as quais uma encaixa-se na outra. (N.E.)

a natureza. Vivera sempre na pequena província onde o pai de Nadja Alexandra era dono incondicional. Provinha de família que acompanhava os nobres há três gerações e que em todos esses anos soubera ser fiel aos patrões, conhecendo seu devido lugar, isto é, o de camponeses servindo os aristocratas.

Vladimir, esse era seu nome, exímio dançarino e, por que não dizer, a atração das camponesas nas festas em comemoração das safras gordas, era solicitado por todos para tocar a sua balalaica, instrumento de corda típico da região, e dançar as músicas tradicionais, às vezes ao som de afinados violinos, quando a eles se juntavam andarilhos, ciganos e imigrantes de outros países vizinhos à província.

Naquele verão, sua espontaneidade fora perdida, vivia triste pelos galpões da propriedade. As belas moçoilas não lhe despertavam mais alegria e emoção. Quando tocava seu instrumento de corda, dedilhava músicas tristes e melancólicas. Ao ser convidado a fazer parte do corpo de dança nas festas principais, desculpava-se e não aceitava. Emagrecera, estava sempre com os olhos vermelhos e a face sombreada por uma barba malfeita.

Exagerava na bebida alcoólica e dava para se ver que passava noites maldormidas. Sua mãe, de longa experiência, passava-lhe descomposturas, mas longe de seu pai: 'Trata, Vladi, de tirar os olhos da senhorita. Ela não é para o teu presente. Vê lá o que vai aprontar. Não nos metas em encrenca. Se encrencado ficar, encrencados ficaremos. Nós somos do outro lado, não esqueça, de outra classe, a de servir os que nasceram para serem servidos e... nada mais'.

'Deixa pra lá, mãe. Quem lhe disse que estou metido em confusão? Por acaso não faço bem o meu serviço? Não trato bem os cavalos e não os alimento com o de melhor, asseando as suas cocheiras?'

'Ah! Pois, sim, te faz de desentendido para passar bem. Não se esqueça, eu não nasci ontem e vejo os olhos que dirige à filha do patrão. O coração, meu filho, é como um corcel, deve ser adestrado, disciplinado e conduzido por mãos treinadas, do contrário só faz bobagem e besteira.'

'Por favor, mamãe, deixe-me em paz. Por hoje chega de tanto sermão. Bastam os dos padres a nos conduzir à vida de servilismo, nos dizendo pra não fazer isso, não fazer aquilo, para obedecer. Ahrrr, ahnrrr... Estou farto de tudo, de tudo — falava, revoltado.
— Obedecer é a nossa sina. A senhora não se rebela contra isso? Eles lá se banqueteando e nós aqui, em prontidão, para atendê-los, sob qualquer circunstância.'

'Mas', retrucava a mãe, 'você não pensava assim, de onde tirou essas ideias estapafúrdias? Não esqueça destas lições da Bílbia: *é mais fácil um camelo entrar por um buraco de uma agulha do que um rico entrar no reino dos céus.*[21] *O céu, meu filho, está garantido para todos nós, os filhos da dor e do sofrimento. Bem-aventurados os que choram, porque serão consolados.*'[22]

'Besteira, besteira mesmo, tudo não passa de mentira para enganar os que servem. Eu não quero ser feliz lá, eu quero ser feliz aqui.'

'Mas pode ser feliz aqui, desde que não cobice a filha do nosso patrão. Tremo só de pensar em alguém desconfiar dos seus sentimentos em relação à senhorita. Isso vai trazer problemas sérios. Tenho orado a Santa Gertrudes para colocar juízo na tua cabeça, já que teu coração não tem e vai nos causar problema. Imagina, Vladi, se seu pai desconfiar de tal desarrazoado pensamento! Além de surrar você, ele lhe põe porta fora da fazenda,

---

21. Mateus, 19:16-24. (N.E.)
22. Mateus, 5:4. (N.E.)

escorraça-o daqui. E sabe que não terá condescendência, tratando-se da honra e da família dos patrões que ele se orgulha em servir. Não se esqueça de que, de todos os condados, por estas bandas, o patrão é o melhor senhor. Aqui nada nos falta, somos tratados com respeito e consideração.'

'Mamãe, a senhora está me passando um sermão por suposição. Que eu saiba, nada tenho que esconder ou do que me envergonhar. Eu apenas me revolto pelo servilismo em que temos que viver, sempre abaixo de ordens, tanto sociais quanto as dos padres. É muito duro pensar em ser livre, achar-se livre e nos dar conta de que temos donos no planeta Terra e no Céu. Desde que tomei conhecimento disso, perdi a vontade de viver, pois não somos donos do nosso nariz. Hora de levantar, comer, dormir e recrear. Ah, que vida, que vida! Não, não, não, não, isto é uma escravidão. Somos como pássaro numa gaiola bem feita, só não podemos voar. E voar mamãe, é o que eu mais desejo. Planar, agitar asas pela amplidão, sem ter que dizer para onde vou e a que hora vou retornar. E ser livre para amar quem meu coração escolher. Mamãe, nós somos servos, mas a razão e o coração são livres, e ninguém pode colocar freios, nem tem direito de amarrá-lo como se ele fosse uma pandorga[23]. Vou sair e vou voar no galope do meu cavalo, pelo menos em cima dele sonho em ser livre e deixo a imaginação à solta, sem amarras. No seu dorso meu sonho se realiza.'

'Ah, meu Cristo! Filhos criados, trabalho dobrado. E eu que pensei que a minha missão estava concluída, que sonhava com uma nora que me desse netos e me brindasse com bisnetos. Agora isso. Meu único filho homem endoidece, alucina, corre atrás de ilusão.'

---

23. Pipa, papagaio. (N.E.)

Capítulo 11

As loucuras de tia Wolga

Pope Alexei fez um longo silêncio. Tomou um gole grande de chá quase frio e me fitou, balançando a cabeça:

— Você é o retrato vivo de Vladimir Podlasnisky. Se ele tivesse chegado à sua idade, certamente seriam iguais. Bem — continuou —, após a tempestade de palavras, Vladimir deu por encerrada a conversa com a mãe e saiu batendo a porta com estrondo, sob os protestos dela.

"O verão fora cheio de surpresas. O fenômeno das Noites Brancas, de crepúsculo prolongado, entusiasmava jovens, moços e velhos, já que os dias se estendiam até as 23 horas, e os passeios se alongavam, tanto por via marítima — motivo para tomar os barcos que deslizavam pelos canais, deslumbrando a todos com o fenômeno —, como também por terra.

O espetáculo era ímpar, alegrava a todos nós, russos, e não seria diferente com essa família de nobres — disse o pope, imprimindo grande emoção nas palavras.

Daquela vez, todos os Koslowsky resolveram passar a temporada juntos, na mesma propriedade. Nadja vivia no mundo dos sonhos, e seu príncipe era, sem botar ou tirar, a cara de Vladimir, com seu cabelo mate, olhos cor do céu, tez bronzeada do sol, mas com a fisionomia franca e ingênua, apesar das suas ideias de liberdade.

Nadja vivia para aqueles momentos, para aprender a conduzir seu puro-sangue com elegância e intrepidez. Todas as tardes, quando o sol se punha no horizonte e a aurora em fogo despedia-se do dia, lá estavam os dois, a cavalo, correndo pelas pradarias verdejantes. A moça, mais corajosa, ensaiava corridas com seu treinador. Este se afligia, temia que o cavalo tomasse o freio e a levasse desabaladamente pelos campos crestados do sol. Todavia, ela tornou-se uma exímia cavaleira. Com isso, pouco a pouco, a amizade foi-se estreitando, as confidências também. Após as longas cavalgadas, desciam dos seus corcéis e encaminhavam-se para baixo de grande árvore de cedro, e ali ficavam, trocando confidências até o anoitecer, descobrindo os mundos diferentes em que viviam e que não havia como misturar.

No começo, ambos tentavam esconder seus sentimentos, mas, à medida que os passeios foram se intensificando, a ligação foi-se aprofundando até se declararem apaixonados um pelo outro.

O fim do verão chegou e toda a família retornou a São Petersburgo. Nadja o levava no coração, pois sabia que aquele amor era proibido. Estava prometida ao nobre Yuri e, ao chegar aos 18 anos, teria de formalizar o casamento, ligar fortunas, fortalecer uniões. Como a fazenda não era muito distante, volta e meia a família ia até lá passar finais de semana ou feriados prolongados, para renovar as forças com o ar puro do local. Nadja, mal chegava, já colocava os trajes de cavalgar e corria atrás do seu tratador com as emoções nas alturas. Cheia de expectativas amorosas e com muitas caraminholas na cabeça.

Até este momento, nada invalidava sua vida. Amavam-se, mas sabiam que era apenas romance de verão e teria de acabar como fumaça no ar.

Os laços entre Yuri e Nadja começaram a se estreitar por vontade dos familiares, que faziam gosto naquele matrimônio. Apenas uma pessoa entre todas da família Koslowsky não participava do mesmo sentimento: a irmã mais velha de Nadja, a enciumada Wolga, que havia se casado com nobre menos afortunado. A verdade sobre as finanças do marido de Wolga veio à tona logo após seu casamento. O segredo fora guardado a sete chaves, porque a família arruinada esperava que, com o casamento e o apoio dos Koslowsky, suas finanças viessem a equilibrar-se. O que não ocorreu. Em sua nova propriedade, após casada, tudo era estritamente fiscalizado e contido. Wolga passou a conviver com despesas cortadas e controladas ao extremo, nada de exageros, tudo para evitar a ruína.

Quando Wolga tomou conhecimento da economia decadente do seu marido, teve uma profunda depressão. Afinal de contas, seu casamento era arranjado, como um negócio qualquer. Ela e o marido se respeitavam, mas não se amavam, e o enlace era somente um contrato. Um contrato totalmente desvantajoso para ela.

A partir daí desabrochou nela todo o instinto negro que por muitos anos estivera retido no poço infecto da sua personalidade atroz. Por esse prisma, ela começou a olhar a vida, em permanente sombra. Achava-se desprovida da sorte, apesar de ser de sangue nobre. A pior parte sobrara para ela, pensava. Apesar de não denotar sua modificação interna, pois era uma legítima personalidade esquizofrênica, escondendo-se nas dobras da dissimulação, fervilhava na sua intimidade o desejo de ferir, matar e diabolicamente armar peças e armadilhas para quem convivesse diuturnamente com ela.

Quando em acesso de fúria, sem que ninguém soubesse, liquidava animais domésticos, trucidando-os num maquiavelismo que fugia ao entendimento normal, e depois criava culpados com a maior desfaçatez. Na maior parte, escolhia servos, filhos de criados, que, atônitos, não sabiam que atitude tomar, porque afinal estavam sendo acusados por uma pessoa influente e de caráter abonado.

A princípio, os vassalos atribuíam o comportamento da fidalga a uma intriga entre os próprios empregados, que não fugiam à regra do futrico, que se propagava em todas as classes. Contudo, pessoas consideradas de sentimentos nobres eram por ela acusadas pelos seus tresloucados atos, sem a menor cerimônia, inclusive sacerdotes que visitavam sua propriedade.

À medida que as atrocidades foram aparecendo e as acusações também, sempre por parte da baronesa Wolga, os serviçais começaram a vigiá-la, acabando por pegá-la em plena fúria, dando vazão à sua loucura.

Certo dia, viram-na agarrar um coelho da predileção de todos da família, levá-lo para o final do parque e praticar um legítimo sacrifício, tirando a vida do animal com requintes de crueldade.

Ao se ver espionada por Ivan, um servo adolescente, estremeceu, mas, com frieza maquiavélica, chamou-o com voz macia, como serpente a hipnotizar um pássaro. O rapazola aquietou-se e, submisso, quedou-se de joelhos em frente à cruel criatura, sendo forçado a assistir ao macabro ritual.

Após limpar-se convenientemente, agarrou o rapaz pelas orelhas, levou-o ao gabinete do seu marido e contou-lhe a história ao inverso, acusando o menino de praticar bruxarias. Ivan, horrorizado, não conseguia emitir um só som, magnetizado pela maldade da dama. O assunto, aventado, foi levado à igreja e à casa imperial, tendo sido o rapaz condenado a morrer em trabalhos pesados.

Wolga deu trégua às atrocidades para despistar todos da sua nova personalidade. Passou um bom tempo controlando seus atos desencontrados, porém os conflitos do bem e do mal se digladiavam constantemente em seus pensamentos. Aproveitando da sua maldade, muitos espíritos perturbados do mundo invisível acompanharam-na por muito tempo. Todavia, as ordens não partiam dos espíritos, mas da sua própria força desequilibrada.

Bem, mas voltemos à sua mãe e ao seu pai. Vladimir não tinha ilusão quanto àquela relação, por isso não conservava esperança, não tecia projetos para o futuro, pois sabia de antemão que ele era inexistente. Apenas se conformava com os poucos momentos em que podia conviver com sua amada.

Embalado pelo arrebatamento de amar e ser amado, alimentava apenas o sonho, o devaneio de, quem sabe, fugir com sua amada para algum lugar que fosse bastante escondido, onde jamais pudessem ser descobertos. Depois, refletia que era insensatez, isso era impossível, porque não possuía dinheiro ou amigos que pudessem escondê-los e auxiliá-los nesta loucura.

Conquanto amasse muito Nadja, não havia ainda perdido o bom senso, estava atento à realidade dolorosa de que jamais teria seu amor perante os homens e a Igreja. Não possuindo nobreza nem fortuna para ampará-la na vida, como iria aventurar-se a fugir com ela, oferecendo-lhe um futuro incerto? Ponderava, sem solução, pois ela nada sabia de suas ruminações. O projeto estava nos planos da mente, e Nadja apenas sonhava como uma jovem de apenas 14 anos que amava pala primeira vez, quando a ingenuidade e as sensações novas que lhe visitavam a alma eram maravilhosas.

As visitas ao campo eram feitas com mais frequência pela família, encantada com as árvores frondosas, de grandes sombras e frutíferas, com a agricultura prodigiosa e muito bem cuidada pelos seus fiéis servidores e com o majestoso jardim. Não foi à toa que recambiou de outras fazendas seus melhores lidadores — a família de Vladimir, trabalhadores de confiança.

Por sua vez, Nadja, alheia aos acontecimentos sociais, muito jovem e amando pela primeira vez, estava feliz e o incentivava a cortejá-la, descomprometendo-se das regras convencionais da época. Cada vez que visitava a fazenda, eles se encontravam, apaixonados."

E, conforme pope Alexei ia descrevendo, eu ia imaginando a cena dos encontros de meus pais. Entre os girassóis da província que rodeava a grande propriedade campesina, aquela união de amor florescia. Eles se amavam e viviam aquela aventura. Sob as galhadas de lilazeiros perfumados, que se dobravam graciosamente entre tufos que formavam um ambiente saudável e arejado, sentados no chão ou sob caramanchões, fosse à luz do luar ou do sol, Vladi e Nadja fortaleciam a sua relação.

Pope Serguei, que ajudava a lembrar os detalhes da história, contou que três verões se passaram entre as lições hípicas e os arroubos de amor ao redor do jardim onde se encontravam discretamente, ansiosos, sempre, por estarem juntos, nem que fosse por alguns instantes de felicidade, e, a sós, entregarem-se àquele sonho inatingível.

Ninguém ainda os havia surpreendido naqueles colóquios que estavam a cada dia se tornando mais íntimos. Apenas os criados da fazenda viam aquela amizade, e sem bons olhos, temendo por todos, caso fossem descobertos. Entretanto, apesar do medo, permaneciam fiéis os dois pombinhos.

Eu não conseguia desgrudar os olhos e os ouvidos da narrativa dos popes, prestando atenção, percebendo a beleza daquele amor proibido que culminou com o meu nascimento. Meu coração estremecia de emoção, e a cada descrição meus olhos marejavam. Parecia que eu estava ouvindo um conto de fadas ou aquelas lendas bonitas de mamãe Olga sobre o amor.

Pope Alexei se aproximava do desfecho da enaltecida história, quando engoliu em seco, como se sentisse dificuldade em ir adiante.

— Vá em frente — disse eu, faminto de informação. — Seja o que for, não vai me deixar mais aflito do que os anos em que vivi sem saber da minha origem, e isso, meus santos, me punha louco. Sabem, sempre que interrogava minha mãe de criação, ela se tornava monossilábica e virava o interrogatório para mim, queixando-se de que não era uma boa mãe, sinal de que sua missão em me criar forte e saudável tinha falido, porque, do contrário, eu não estaria querendo saber quem era quem. Assim, eu acabava por desanimar, pois feria profundamente alguém que dedicara sua vida a mim e me dera o melhor. Todavia, não me conformava, porque, lá no fundo, eu sabia que algum dia o segredo me seria revelado. Bem... já descansaram, continuem, por favor.

— Quando Nadja foi comunicada pelos pais que seu casamento fora marcado para o próximo outono — continuou pope Alexei —, ela não pensou duas vezes. No terceiro verão que passou na propriedade de campo, comunicou ao amado que teria de se casar, mas que antes se entregaria de corpo e alma a ele.

"No entanto, Vladimir, que era um jovem de honra, repudiou a oferta, pois não lhe interessava obter apenas o corpo, queria tê-la para si por completo, confortá-la nos dias tristes e participar das suas alegrias, dos comezinhos fatos do cotidiano. Todavia, Nadja, no auge da desesperação, beijava-o e abraçava-o com sofreguidão, sob o crepúsculo do entardecer, debaixo do mesmo carvalho que os abrigara por três anos como um ninho de amor.

Aos prantos, ela dizia: 'Vladi, se não te pertencer primeiro, não serei de mais ninguém. Ao voltar para São Petersburgo, vou me suicidar. Maldita vida, não sou dona do meu destino! Quando pensamos que a felicidade é para sempre, é justamente quando ela se escoa pelos nossos dedos nos dizendo que não somos donos de nós. Haverá sempre alguém a nos conduzir? Primeiro os pais, a Igreja, depois os maridos e a sociedade?

'Mas a vida é assim, minha querida, jamais a mudaremos. E nela há duas classes bem divididas, a que manda e governa e a que serve e obedece. E mudá-la... só a posteridade o dirá. Até lá, vão se passar muitos séculos, e o pó da terra nos terá absorvido.

'Não, não, não vou me submeter à autoridade de *papotchka*[24]. Wolga casou-se por vontade dele e hoje vive pelos cantos da casa, deprimida, submissa. Detesta criança, não as quer ter, e ouvem-se murmúrios, pela sua propriedade, que coisas muito estranhas estão acontecendo por lá. Ouvi dizer que ela é a autora de grandes desatinos. Na verdade, nunca a pegaram em flagrante, mas à boca pequena dizem que ela é mesmo a autora de grandes feitos maldosos.'

---

24. Papai ou pai. (N.E.)

A primeira vez que Nadja tentou seduzir o seu Vladi, ele resistiu, porque não queria se aproveitar da fraqueza da menina. Contudo, quanto mais os dias passavam, mais se aproximava o retorno dela à cidade. Os preparativos para o casamento, no outono, já estavam em grande programação. A doce e romântica menina de olhos ternos não mais voltaria àquelas paragens, e Vladimir nunca mais a veria.

Com esse sentimento de perda, ele foi se encontrar mais uma vez com ela.

No entardecer, quando a lua cheia iluminava as suas silhuetas, ao lado dos girassóis, no distante jardim, escondidos dos olhares curiosos, eles tiveram com intensidade aquela entrega inteira que selou o destino de ambos. O amor e a paixão que ali viveram até a partida da moça para a cidade marcaram com fogo e ácido o desenrolar dos futuros acontecimentos.

Enfim, despediram-se, entre muitas lágrimas, com muitas juras de amor, todavia sem nenhuma perspectiva concreta de um reencontro futuro. Nadja iria morar fora de São Petersburgo, iria depois para Moscou, para uma das propriedades do seu futuro marido. Voltar àquela região seria muito difícil, pois os planos do noivo para ambos eram viajar para a Itália, passear por Nápoles e Milão. Aproveitaria para resolver negócios no exterior, passaria a maior parte do tempo viajando, para estar atento aos seus negócios, pois era visto pela família real com certa apreensão. Não podia fiscalizar e absorver parte da sua fortuna e imposto, então fugia da especulação da política da Rússia.

Um mês após ter deixado a fazenda, Nadja começou a ter um procedimento fora do comum. Apesar de ser uma pessoa extremamente sensível e de característica nervosa, agora dava para enjoar desde que amanhecia o dia. Médicos da família vieram examiná-la sem nada encontrar de diferente no seu organismo, que sempre fora fraco e impressionável.

Seu pai, não vendo nenhuma melhora, estremeceu pela filha e, escondido da Igreja, mandou chamar um grande alquimista das redondezas, que atendeu o seu chamado, comparecendo na calada da noite em uma carruagem vedada.

Ao chegar, Kivostikov,[25] o alquimista, foi imediatamente encaminhado ao dormitório da moça, que, ao vê-lo, empalideceu, pois podia enganar os médicos da corte, não àquele homem de olhos grandes, pretos e penetrantes, que, ao olhar quem quer que fosse, devassava o íntimo das almas. Kivostikov aproximou-se da sua cama e olhou-a profundamente. De seus olhos saíram fagulhas de ternura que fariam qualquer um chorar involuntariamente, e não foi diferente com a garota. O então chamado mago, como era conhecido na região, elevou as mãos espalmadas para o alto e as trouxe envolvidas por uma energia salutar esparzindo-a sobre a cabeça, o tórax e, enfim, o corpo inteiro de Nadja. Repetiu o gesto várias vezes, penetrando em todo o corpo da enferma, que, apesar das lágrimas, se aquietou.

O mago então pediu aos pais que o deixassem a sós para conversar com ela sem constrangimento.

Como todos sabiam do poder do velho curador e da sua generosidade, honradez e ilibada moral, concederam. Ao ficarem a sós, ele passou os olhos sobre a jovem e lhe falou sem rodeios, mas com complacência:

'Trazes no ventre dois filhos de Vladimir. Sugiro que cases o mais depressa possível, para dar paternidade a esses gêmeos e não causar mais danos à tua família e ao teu noivo.'

---

25. Tratava-se mais propriamente de um médium de cura. Veja mais em *O Livro dos Médiuns* (São Paulo, Petit), Capítulo 14, item 7 — Médiuns curadores. (N.E.)

'Dois?'

'Sim', respondeu o velho. 'Dois seres, fruto da tua relação com Vladimir, não estou certo?'

'Sim. Agora compreendo, estou grávida de gêmeos!'

'Sim, vais para o segundo mês. Por enquanto ninguém tomará conhecimento, pois estás muito magra. As energias que te infundi aplacarão as náuseas e os vômitos. Casa-te breve com o teu Yuri e deixa-o receber a paternidade dos seres que trazes nas entranhas. Entretanto, dou-te um último aviso: cuida para que Wolga não ponha os olhos em ti, ela é sensitiva e poderá ver além do corpo, é guiada pelos seres do mal.'

A essa altura, Nadja chorava compulsivamente, de medo e também de alegria. Trazia consigo a semente do seu amor, que florescia no seu ventre, e estaria ligada para sempre por elos sanguíneos ao seu eterno amor, Vladimir.

O curandeiro, ao ver o misto de sentimentos que Nadja deixava transparecer, teve uma visão tétrica de que tratou de se desvencilhar: o futuro daquela jovem vaticinava-se obscuro e com muito sofrimento. A morte rondaria o nascimento dos seus filhos, porém ele não era autorizado a revelar nada nem antecipar desgraças, deixava, naquele instante, os acontecimentos à mercê do destino.

Capítulo 12

Meu tumultuado nascimento

— Casaram-se Yuri e Nadja Alexandra, com pompas. A casa fora ornamentada pelos assessores de sua nobreza, da casa dos czares. Os caramanchões dos parques foram embelezados; as estátuas, lavadas e pintadas; as cortinas do palacete foram trocadas, e a prataria teve cuidados especiais. O dia fora exaustivo para todos; contudo, a cerimônia teve um desenrolar impecável. Centenas de pessoas da mais alta elite da nobreza lá se encontravam para participar do enlace do ano. A família dos Koslowsky não regateou em bebidas e iguarias. O caviar estava esplêndido, como também os canapés. Nadja estava na sua melhor fase, pois não estava mais sozinha, trazia no ventre parte do seu Vladi, que ficaria para sempre com ela.

"Ah! A mocidade, os pecados da ilusão — dizia o pope, meneando a cabeça. — Nadja era exímia

pianista e, depois que soube da gravidez, atirou-se de corpo e alma na música, com impaciência. Foi a maneira de suportar um casamento sem amor e carregar no ventre um pedaço daquele que roubara seu coração.

Casara-se com três meses de gestação, sem que seu marido desconfiasse da sua condição. No sexto mês de casada, sua gravidez, no corpo frágil e miúdo, se fazia aparecer. O marido tratava-a como se fosse uma rainha. Como as viagens de negócios o faziam cruzar quase diariamente as estradas da Rússia e dos países vizinhos, houve por bem da saúde da gestante deixá-la retida no lar, sob os cuidados de pajens, camareiras e visitas amiudadas de seus pais. Apenas Wolga, enciumada e arredia, protelava a visita, que, diga-se de passagem, nem era desejada, já que ela estava cada dia mais nervosa e esquisita.

Todavia, no momento, a preocupação de todos estava em torno de Nadja, com um volume enorme na barriga, e o médico da família, que já estava muito velho, não percebia que havia dois corações batendo no ventre da sua paciente.

Pelas suas contas, as crianças viriam três meses antes do tempo permitido pelo seu enlace. Nadja, contudo, não se importava, daria uma desculpa qualquer. Quem ligaria, se os encontros com Vladimir nunca haviam sido descobertos e nunca a haviam visto com outro homem? Casara-se com o homem escolhido pelo pai sem reclamar, e isso era um alívio para a família, que muitas vezes presenciara outras se verem às turras com as filhas desobedientes. Umas até tentavam fugir com seus soldados. Entretanto, eram sempre conduzidas ao lar por terríveis comandantes, e seus homens, levados à prisão perpétua, nunca mais voltavam, acabavam morrendo no esquecimento.

Interrompendo o prolixo sacerdote, eu suplicava:

— Por favor, santos padres, digam-me como minha mãe morreu e por que seu marido não me assumiu.

— Já chegamos lá — dizia Alexei na sua calma habitual. — Onde paramos mesmo? Ah, sim, em abril, barine Yuri se encontrava em Nápoles, na Itália, quando rompeu a bolsa de Nadja, e ela teve as primeiras contrações. O médico foi chamado, a mãe de Nadja também. O rompimento da bolsa aos seis meses, pelas suas contas, não estava na programação. Como ela estava com um ventre enorme, apesar da magreza, o médico, por fim, ao examiná-la, desconfiou que eram dois a nascer em vez de um. Nadja, por ser de temperamento sensível, sentia as dores em grau acima do normal. Passou oito horas com contrações, e a dilatação atrasava. Então, sem escolha, o médico e seus auxiliares usaram de ferramenta rudimentar da época, e o primeiro nascituro foi retirado sem vida, em razão de sérios danos ao seu corpinho, deixando caminho aberto ao outro, que vinha atrás.

"As crianças estavam vindo com agouros sinistros. Wolga foi avisada de que sua irmã não passava bem e que haveria complicações no parto. Sabedora do casamento de seis meses, desconfiou de tudo quando espíritos das trevas a informaram, carregados de malícia, de que a gestação não era fruto do enlace com o marido, e sim de um relacionamento bastardo que a irmã tivera com um tratador das propriedades do pai.

Uma alegria maléfica tomou conta da baronesa, que não parava de rir, com satisfação que raiava à loucura.

'Ela também não será feliz, ha, ha, ha', gritava em seu quarto, com pensamentos carregados de maldade e punhos cerrados, relembrando o passado recente. 'Chegou a hora da vingança, eu não sou feliz, e ela também não será. Vai ter que prestar conta da sua traição. Maldita, maldita! Por quem é, sofrerá o açoite da minha língua e do meu ódio. Tendo um marido afortunado, foi se aninhar em cama alheia e trazer para casa o fruto dessa traição. Ah, ah! Eu que merecia opulência e vida de rainha. Por ser a mais velha, estou aqui retida nesta mansão que afunda cada vez mais em dívidas que meu marido não consegue controlar.'

Wolga pulou da cama, vestiu-se com classe, roupas de viagem, e, de cabeça erguida, tomou a carruagem da mansão e dirigiu-se freneticamente à casa de sua irmã, com a mente incendiada pela maldade, planejando a forma mais espetacular que desabonasse para sempre a irmã invejada. Ao chegar à mansão da irmã, entrou sem ser anunciada e foi de imediato para o segundo andar, onde mulheres inquietas se revezavam com bacias, baldes de água fervente, lençóis e toalhas.

Quando o segundo bebê nasceu e chorou, dando sinal de vida na mão do médico, Wolga escancarou a porta de duas folhas do amplo quarto e, sem avisar, entrou, gritando impropérios de toda ordem, acusando a irmã de perjúrio, infidelidade e adultério, e retirou a criança dos braços do médico: 'Essa criança é de nove meses, portanto não é filha do meu cunhado. Sorte desta que está morta', disse, olhando com desdém para a bacia com o bebê sem vida. 'Vejam, tem peso normal, unhas e características bem pronunciadas do seu nascimento em tempo, pois grita que nem bezerro. Matamos ou escondemos o fruto dessa traição?'

Todos que atendiam o parto difícil ficaram espantados com tanto disparate numa hora tão difícil. Para confirmar que não mentia, Wolga gritou para a irmã, que a olhava sem reagir: 'Nadja Alexandra, diga para todos que estão aqui, sob juramento, se eu estou mentindo.'

O momento era tão sério que até a criança se calou quando Nadja, nos estertores da morte, falou:

'Não, este filho não é de Yuri', falou com dificuldade, 'é filho de Vladimir Podlasnisky. Entreguem a ele o nosso filho e prometam nada dizer ao meu pobre amigo Yuri...', e nesse momento expirou. O seu corpo pendeu para o lado, sem vida.

Wolga estava dona da situação. Aproveitando o estupor de todos, enrolou o recém-nascido em cobertas, fugindo com ele. O esposo de Nadja, quando voltou, apenas soube que ela dera à luz um menino de seis meses de gestação que, por complicações, fora tirado sem vida. Ela, por ser frágil, sucumbira ao parto."

Naquele momento, ninguém notara a presença de um grupo de socorristas espirituais que viera resgatar tanto a criança quanto Nadja. Quanto ao recém-nascido que acabara de desencarnar, seu breve período no ventre da mãe, somado à violência com que fora retirado do útero, foi suficiente para resolver antigas dívidas com seu querido irmão, conseguindo trazê-lo até o nascimento e quitando assim um passado de infâmia.

Mas eu soube de tudo isso bem mais tarde, quando ele veio me auxiliar em meu próprio desencarne.

Eu não evitava as lágrimas de dor ao ouvir a narrativa do velho pope, que também tinha os olhos marejados, aflito por ter de fazer-me sofrer ao conhecer meu passado.

— Wolga teve a solidão que cavou para si — disse o sacerdote. — Ficou-lhe apenas Andrei, seu amante de outrora, talvez o único que a amou, apesar dos seus desatinos. Sua maldade a envelheceu precocemente. Ela aparentava mais idade do que realmente possuía.

"Bem, para concluir, seus avós maternos, conhecendo toda a história, foram chantageados pela própria filha, que exigiu vultosa quantia para se calar e guardar o segredo e também para revelar o destino da criança. A essa época, nas províncias do Ural, seus avós possuíam uma grande propriedade e não a visitavam por muito tempo, apenas recebiam os proventos que dela rendiam, sabendo-a administrada com eficiência pela família Petrowisk.

Após muita negociação com Wolga, você foi entregue aos seus avós, que o levaram para Olga criá-lo. Da isbá[26] em que residiam, passaram a viver na casa-grande, como pagamento para você ser bem tratado, em razão da linhagem de que provinha. Talvez por isso Olga ficasse tão chateada com seus questionamentos e, de certa forma, constrangida por se sentir paga para criá-lo. Sua índole cristã a acusava de mercenária.

Quando você era bem pequeno, fui designado pelo conde para visitar a fazenda e observar de perto como era criado. Felicito-o, porque os Petrowisk tomaram conta, bem direitinho, da sua educação. Seus avós, antes de morrer, e para assegurar seu futuro, com medo de Wolga, passaram a propriedade de Ural para Boris, que naturalmente não o queria, mas foi convencido quando lhe contaram sobre a filha mais velha e as maldades que poderia fazer com você. Daí a vida dura da campanha, mas próspera, que todos levavam. E você, por não ter certidão, foi poupado até da guerra. O resto você já sabe.

— E quanto a meu pai biológico, o que houve com ele?

— Ah — respondeu o pope Serguei desta vez —, Vladimir, apesar de não se aproximar da sua mãe, estava sempre a par do que com ela se passava. Soube mais tarde da gravidez e entendeu que o filho que morrera era seu, mas nunca soubera que Nadja engravidara de gêmeos. Com a morte da sua amada, não aguentando a dor, enforcou-se no galho da mesma árvore de carvalho que tinha sido cúmplice do seu proibido amor.

---

26. Casa de camponeses. (N.E.)

— Por isso, as minhas visões: mamãe ao piano e um homem enforcado ao seu lado.

— Meu filho, ouça o conselho de quem conhece a vida social e religiosa: não diga para ninguém sobre isso, para não se complicar — falou pope Serguei. — Esta é a primeira parte da sua história, a segunda etapa vem depois da morte de Nadja.

"Seus avós perderam o gosto pela vida. Com Nadja morta, Wolga ficava cada dia pior, e sua maldade não tinha limites. Após as chantagens com seus próprios pais, ela organizou as finanças do marido e o dominou totalmente. Ele nada fazia sem o seu aval. Não dava um passo sem o seu consentimento. As propriedades dele prosperaram sob a administração de ferro de Wolga. Esta colocava o marido à testa dos negócios, mas quem resolvia tudo era ela, que 'nadava' em dinheiro.

Era respeitada por toda a nobreza russa, porém era ainda mais temida. Dizem que ela mandava eliminar quem atravessasse seu caminho, fosse quem fosse. Não levava ninguém em conta.

Nos calabouços de sua propriedade, ouviam-se, em altas horas da noite, gritos lancinantes de dor e pavor. Viveu por vinte anos assim, distribuindo o terror entre seus 'amigos', inimigos e subalternos. Mas, por conta do destino, quando seus pais adoeceram e morreram, ela foi diminuindo as maldades e ambição, entregando o rumo dos negócios ao seu fraco marido. Este, sem o apoio da esposa, navegou novamente no caos financeiro, e não tardou a falecer. Dizem muitos que foi ela quem o assassinou, porém isso nunca foi realmente desvendado.

Ocorre que, após as mortes na família, ela fechou todas as propriedades que sobraram da ruína, vendeu algumas e voltou a morar na mansão dos pais, colocando a maior parte do dinheiro arrecadado em mãos de banqueiros, ficando no ostracismo doentio. Perdeu a vontade pela vida, dispensou todos os empregados, e nunca mais saiu do andar de cima da casa, atendida somente por Andrei, seu amante e servo, deixando a mansão às traças, sem nenhum cuidado, por isso você encontrou tudo malcuidado e apodrecido. As salas, que fatidicamente serviam para seus desatinos, Wolga mandou fechar e guarnecer por muros hermeticamente fechados, para fugir dos fantasmas que a atazanavam, tentando com isso impedi-los de atormentá-la. No entanto, parece que eles assim mesmo não lhe deram trégua.

Certo dia mandou me chamar, colocou em minhas mãos seu testamento e muitos rublos, além da missão de encontrá-lo e fazê-lo único herdeiro de tudo o que restou. E digo-lhe que o que ela deixou é uma fortuna considerável."

Meu coração parecia que ia estourar de mágoa, raiva e dor, quando disse a eles:

— Nada quero dessa senhora. Sabe-se lá de que forma juntou tudo isso. Certamente, com o sacrifício de muitos. Não, não vou tomar conta de nada. Volto para o campo, que é meu lugar. Aliás, lugar que ela mesma escolheu para eu viver.

— Não, meu filho, não. Devemos ser justos. O que Wolga lhe deixou foi tudo que tomou de seus avós. Ela teve um rasgo de grandeza. O que era do seu falecido marido ela deixou aos cunhados e sobrinhos, que fugiram da Rússia temendo-a. Ficou para você o que legitimamente lhe pertence. Era dos seus avós e, consequentemente, de sua mãe.

— Vou pensar, então — disse —, ainda estou confuso. Dói-me o corpo todo, e a minha mente está confusa.

— Contudo, meu filho, entrego em suas mãos o resto da papelada e também os recibos do banco, para enfronhá-lo do montante que lhe pertence. Madame Wolga também foi caridosa com a Igreja, deixando-nos vultosa quantia para nossas despesas.

Depois daquela longa narrativa, nos despedimos para dali a uma semana resolvermos o que fazer com a herança, todavia os sacerdotes me incentivavam a recebê-la e dar um fim útil ao que Wolga me deixara.

Capítulo 13

Revelações de Andrei

Voltei para a mansão de corpo e alma dolorida, todavia detentor do meu passado. Finalmente sabia quem eu era e de onde provinha. Regozijei-me: era fruto de um grande amor, e assim fora gerado. Era, por parte da minha mãe, de linhagem nobre. E de que valia toda essa cantilena de sangue e classe se não tinha quem mais amava? Meus pais foram punidos por se amarem tanto, quebrando regras que os homens impunham aos próprios homens. Contudo, o destino poupara-me, pois podia ter ficado sob as ordens da minha tia Wolga, sabe-se lá o que não estaria reservado para mim se vivesse sob seu teto. Não, não. A vida colhera meus pais na artimanha da desgraça, porém meu saldo fora positivo. Tivera uma infância feliz, protegida por pais verdadeiros,

que me ensinaram as coisas do mundo com honra, honestidade, usando de verdades no caminho do bem.

Quanto ao que se passara com meus parentes Petrowisk, quem sabe eles não sabiam mesmo que eu era fruto de uma relação fora do casamento. Mamãe Olga, mulher de princípios e muito reservada, talvez não quisesse se inteirar mais da desgraça que caíra sobre minha mãe e sua família. Sua discrição era conhecida na aldeia onde vivíamos. No que dizia respeito ao meu passado, usou da mesma discrição.

Quando as imagens vinham à minha mente, incendiando meus sentimentos, não me continha, irrompia num choro sem alento.

Lá fora, o frio continuava, causticante, a neve não dava descanso, e eu me esquecera de acender as lamparinas de gás. O frio e a escuridão atormentavam meu corpo enquanto eu mentalmente caminhava em sentido contrário. Padecendo no presente o passado turvo e sofrido dos meus pais, senti naquele momento o amor deles por mim. Para dar testemunho do seu amor, o piano começou a tocar uma alegre melodia que eu costumava assobiar quando tocava os rebanhos, ao entardecer, e isso me trouxe agradáveis lembranças.

Mesmo sem vê-los, falei com eles do meu amor, e que os compreendia em todos os sentidos. Fiquei ali, embalado por aquelas recordações que me haviam acompanhado da minha infância à mocidade.

Lá pelas tantas, dei com o velho Andrei ao meu lado, na escuridão, entanguido. Saltei da poltrona em que tinha me enfiado, ao mesmo tempo em que o admoestava:

— Andrei, Andrei, por que não me falou que estava aí? E por que não acendeu os castiçais, os candelabros? Pelo menos isso poderia ter feito!

— Oh, barine, estava tão triste e absorvido que não me encorajei a interrompê-lo nos seus pensamentos.

— Pare de me chamar de barine, pois não o sou. Vim da roça, sou um legítimo camponês, e não me envergonho da minha condição. Orgulho-me de ter como pais Olga e Boris Petrowski — falei, ufanando-me dos meus pais adotivos.

— Está bem, ba...rine, senhor, seu Sasha... patrão. Afinal, como mesmo devo chamá-lo?

— De Sasha, apenas Sasha. Não coloquemos conversa fora e acendamos a lareira. Senão vamos congelar até morrer. A essa altura não quero morrer. Agora não, o que menos posso pensar é perder a vida preciosa que me foi cedida, herança de quem muito amou.

E, esfregando as mãos, atirei-me a acender o fogo, que em minutos crepitava e aquecia o ambiente. Fui à cozinha e preparei um delicioso jantar com bisteca de porco e um caldo grosso reconfortante. Durante aquela noite tive muitos sonhos, atormentados uns, felizes outros.

Acordei com olheiras, olhar cansado, a boca amarga. Um misto de tristeza e revolta rondava à minha volta. Um desencontro fatal mudara toda a minha vida. Uma mulher pervertida decidira meu destino. Por Santa Sofia, como entender a mola do destino, que coloca em nosso caminho verdadeiras serpentes, sem apiedar-se da nossa solidão?

O amor, ah, o amor traz consigo, em sua volta, um séquito de vicissitudes. O homem não aguenta ver outros seres felizes.

Tia malvada, se existe Deus, ela deve estar queimando no inferno. Pensa-se que amor malogrado só acontece em romances. Pensa-se que é apenas fantasia. Entretanto, a história que os popes me contaram não foi diferente. Os meus pais não foram separados em razão de ódios entre famílias ilustres, mas por posição social.

O dia lá fora era o de sempre, com muita neve, chuvas esparsas. Um frio de gelar a alma se fazia sentir através do dia cinza, e se ouvia o suave gotejar da chuva nos beirais das janelas góticas.

Espreguicei-me, enfiei a calça de lã grossa, coloquei as botas de couro cru, fiz a higiene de praxe, fui até a cozinha, acendi o fogão e preparei um café da manhã com muitas guloseimas.

Acordei Andrei, que, trôpego pelo frio e pelo reumatismo, e ainda meio fora do ar, sentou-se à mesa para acompanhar-me no desjejum. O biscoito de nata e a torta de nozes estavam no ponto, e o velho os mastigou com gosto. Olhando para ele, cabelos ralos, pouca barba e por fazer, aquele rosto enrugado de olhos baços, fisionomia fechada, interroguei-me se ele não teria participado do meu sequestro quando nasci. Sim, sequestro, porque, pelo visto, a família atordoada não tivera tempo para reagir ao nefando ato da minha perversa tia, que me roubara do seio materno por pura inveja e maldade.

Enquanto o velho degustava com rumor os biscoitos, por causa dos dentes estragados e escuros, fiquei ali engolfado em pensamentos sinistros. Andrei não tomava conhecimento de que eu o observava com um certo amargor. Pensamentos sórdidos que não estava acostumado a abrigar tomavam conta de mim, e pela minha mente bailavam todas as cenas daquela história sinistra relatada pelo sacerdote sobre a minha tia Wolga.

E, apesar de ter sido muito amado na família de mãe Olga, naquele momento eu sentia um grande desconsolo pelo meu infortúnio.

Meu Santo Isaac! Por quantas peripécias passei para chegar aos vinte e oito anos e ser detentor de tantos bens que por direito me pertenciam e que me foram roubados por tanto tempo.

Com todos esses pensamentos desconcertantes, vi que já passavam das sete horas; ouvia as carroças dos leiteiros num ruído monótono, e a musicalidade do movimento de carruagens, coches e troikas nas pedras da rua. Os estalidos das rodas, com o trote dos cavalos, pareciam notas musicais.

Levantei-me da mesa, recolhi a louça do café matinal, guardei em recipiente limpo e bem fechado o que sobrou dos pães e fui lavar a louça. Enquanto isso, Andrei, cada vez mais surdo e alheio, deixava-se ficar num eterno mutismo.

Para afastar os fantasmas da mente e me concentrar no presente, pus-me a cantar velha ária da região onde crescera. Era uma rapsódia que falava de amor, ternura, misturando natureza com sentimentos humanos.

Fiquei entretido por um bom tempo enquanto limpava a cozinha, acompanhado de "um ser ninguém", pois estar com Andrei era como estar sozinho e falar sozinho. A verdade é que ele era um mordomo diferente, pois comia à mesa com seu atual patrão.

A família dividida, a herança desdenhada, em um espaço neutro, sem fé, senti o peso da responsabilidade e da liberdade. A Igreja proporcionara-me o amparo. Contudo, a melancolia, embora tivesse ainda naquele tempo fé em Deus, desencadeava uma grande angústia ao me perguntar: "e agora?". Inquietavam-me a orfandade e o temor da morte. Sentia-me solitário e temia a loucura que rondava aquela mansão.

Após ter lavado e secado as louças, de imediato aticei a lenha no fogão, sentei-me diante do homem velho de olhar embaçado e mente alheia e toquei-lhe a mão, fazendo-o prestar atenção:

— Andrei, você foi amante dela?

Ao que ele resmungou, meio assombrado:

— Hum?

— Você sabe, você foi amante de Wolga?

Aí ele exclamou em bom-tom:

— O que foi que o senhor disse?

— Vamos lá, meu velho, você me ouviu bem, mas vou repetir: você viveu um relacionamento amoroso com tia Wolga?

O homem desviou os olhos de mim e balançou a cabeça em sinal positivo.

— Barine, não vou lhe mentir, afinal a barínia se foi, que Deus a tenha. Fui por esses longos anos o único companheiro de Wolga. De dia arrumava as suas coisas, limpava a casa, preparava as refeições, e de noite aquecia as suas costelas. Sim, amei-a mais que a mim mesmo.

— E ela? — perguntei ansioso.

— Ela — respondeu sem muita vontade de contar — era uma pessoa atormentada por muitos fantasmas, mas nada me escondia. Eu a conhecia plenamente, desvestida da hipocrisia, e, mesmo que não entendesse seus desatinos, assim mesmo a amava. Não pelo que ela representava ou pela fortuna que possuía. Wolga era meu vício. Estava sempre sedento dela, e ela sabia aproveitar-se disso. Sabe, barine, fui casado com uma boa moça, mas era boa demais para mim. Quando comecei a trabalhar para sua família, senti um fio invisível me ligando àquela mulher, que não vacilava em eliminar quem quer que se interpusesse em seu caminho. Escondido na calada da noite, ela me fez ser comparsa de muitos crimes em troca de alguns momentos de amor.

Enquanto falava — talvez por vergonha do seu passado —, Andrei não tirava os olhos da janela, embaçada pelo vapor da água que fervia na cozinha. Continuava olhando sem ver, seu nariz parecia mais afilado, e a pele enrugada em seu rosto, de cor marmórea, parecia se esticar pela força das tristes recordações.

— Barine, por este amor diabólico matei muitos, trago minhas mãos tisnadas de sangue, inclusive... minha mulher — falava com dificuldade, tomado pelo remorso —, para poder me dedicar inteiramente à madame Wolga. Nunca fomos descobertos, porque ela planejava tudo com minúcia, e eu me deixei tragar na sua voracidade, que não tinha medida!

O velho, que há pouco estava de olhos embaçados, à medida que se esvaziava daquele lixo íntimo que cheirava mal, tomava fôlego e se energizava, como se forças diabólicas lhe fortalecessem o que tinha de pior. Eram as entidades das trevas,[27] contendores de Deus, que tomavam suas forças e o impulsionavam com energias hercúleas. Ele então ensaiou alguns passos que, de trôpegos, assustadoramente se transformaram em passadas fortes e corajosas.

Surpreendi-me com que estava presenciando. Estava em frente de alguém que se transformara, de uma hora para outra, como num passe de mágica. O homem que estava à minha frente diminuíra de idade, as rugas desapareceram, parecia ter o meu jovem vigor. Fiquei surpreso e perplexo, minha vida de camponês tinha dado um passo para mim incompreensível, agora estava ali, a presenciar um criminoso de muitas mortes a quase se vangloriar dos atos cometidos em razão de um amor doentio.

Meu corpo estremecia ante tanta abominação e desatino. Contudo, o velho não parava de caminhar, num passo cadenciado e forte, como se estivesse abrigando mil entidades diabólicas no seu corpo frágil de ancião. Eu não consegui entender aquilo, meus olhos não acreditavam no que estava acontecendo, estaria dentro de um pesadelo?!

---

27. Trata-se de uma forte obsessão daqueles que foram por ele pejudicados. Ver *O Livro dos Médiuns* (São Paulo, Petit), Capítulo 23 — Obsessão, questões 238 e seguintes. (N.E.)

— Deus! — eu disse em voz alta. — Andrei, você não se arrepende de tudo isso? Como conseguiu viver por tanto tempo com toda essa ignomínia e como aguentou tanto horror?

— Ah, meu senhor — para meu espanto, até a voz havia mudado —, hoje eu sei, minha paixão desenfreada por ela me encegueceu o raciocínio e entorpeceu o meu coração. Para mim não há perdão, o fogo dos infernos me aguarda, e, quando eu morrer, é para lá que a minha alma vai. Faz muito tempo que os "demônios" me perseguem com a fisionomia dos que eu eliminei. A noite para mim é um tormento. Os "diabos" esperam o anoitecer para se alimentar.

Enquanto acontecia essa conversa, a chuva modificara-se em tormenta, com raios e trovoadas, transformando aquele ambiente por completo, como se as forças da natureza entrassem numa batalha inglória. O jardim e os pátios eram só lama; nas ruas, as águas corriam, céleres, em grandes enxurradas, encharcando as calçadas, alagando-as e unindo-as à rua, numa única torrente; assim como as recordações há muito tempo represadas e escondidas corriam soltas pela boca de Andrei, sem freio. Parecia que o céu estava caindo!

A dureza daquele coração indiferente e mau assemelhava-se ao frio causticante que cobria a velha São Petersburgo. O cheiro de mofo, que era ativado com a umidade do aguaceiro, representava para mim os longos anos em que aquela criatura de Deus praticara, em conluio com Wolga, todo o tipo de desatinos, maldades e crimes hediondos.

Capítulo 14

Tomado pela loucura

Acostumado à vida mansa, religiosa e pura da província, onde por toda minha vida morara, senti naquele momento desmoronar o meu mundo sadio. Tomado de fúria assassina, aos gritos, tentei calar aquela boca que falava de tanto horror. Investi contra o velho, esganando-o, ao que ele disse, para meu espanto:

— Mate-me, barine, eu mereço, use das suas mãos e faça justiça em nome da vontade de Deus. Realmente não mereço viver, mate-me.

Quando ouvi o velho, que, à mercê da minha insânia, não pedia clemência pela própria vida, voltei à realidade. E comecei a gritar, afastando-me dele:

— Deus, Deus, Cristo, Cristo, em poucos dias já não distingo o certo do errado. Pelo amor de Deus, quase me torno um criminoso! Cruzes, Virgem Maria, rogai por nós, pecadores.

Caí de joelhos ante uma imagem de santa alumiada por castiçal e ali fiquei, meditando e rezando, por um longo tempo, sem atrever a me levantar. Estava descontente comigo mesmo. Nunca suporia, nos meus tempos áureos, no campo, ser capaz de levantar a mão, para quem quer que fosse, com ânsia criminosa. Definitivamente, não me conhecia nem do que eu era capaz. Teria herdado da tia carnal a sanha criminosa? Decepcionava-me a mim mesmo.

Passei aquele dia escuro e trevoso atabalhoado. Provara a fossa pútrida das minhas más tendências, e agora sabia que também, como a tia, poderia matar.

O dia cinzento, clareado pelos muitos raios, parecia-se com meu estado interior, uma completa tormenta.

Andrei voltara à mesmice. Não almoçamos nem acendemos a lareira, e apenas alguns castiçais alumiavam o dia triste. E eu, que me levantara com tantos projetos... Agora eles se escoavam pelos acontecimentos que me haviam tomado abruptamente. Andrei, cujas forças demoníacas agora o haviam abandonado, sentou-se com dificuldade em frente à janela gótica, observando a chuva, que ora era forte, ora escassa. Pegou um cobertor grosso, enrolou as pernas reumáticas, e sobre os ombros usou uma manta de grossa lã. Seu nariz entanguido deixava correr uma fina coriza, que ele, com a manga do blusão, tentava limpar. Com as mãos metidas em luvas de pele, de vez em quando esfregava uma na outra para ativar a circulação.

Passaram-se longas e intermináveis horas. O entardecer chegou, com muito vento penetrando pelas frestas das janelas e uivando como lobos esfomeados nas altas campinas.

Após me recuperar do susto de descobrir em mim forças negativas que nunca haviam aflorado em minha vida campestre, fui paulatinamente voltando ao normal, assumindo meu lado conhecido e ameno. Aí atinei a aquecer a casa, acender o samovar para o chá das seis. Montei a mesa, servi o chá e chamei por Andrei, que, assustado, não queria tomá-lo, estava sem fome.

Aproximei-me do antigo mordomo e delicadamente falei:

— Desculpe-me, nunca mais isso vai acontecer. Não tenho a índole má, foi um ímpeto que me é desconhecido, talvez uma fraqueza.

— O senhor tem poder sobre minha vida, e ela está à sua disposição. Hoje, o senhor é meu juiz — respondeu ele.

Enquanto isso, o vendaval continuava quebrando os galhos das árvores, desmanchando os ninhos, destruindo cercas e até levantando telhados dos casarios mais velhos. Dentro da mansão, a calma aparente voltou a reinar, e me recompus, recolhendo os instintos, pois eles haviam degenerado meu próprio ser no espelho da alma, no mais profundo do meu íntimo. O gosto amargo da situação inibiu os impulsos monstruosos de que me sentira possuído. Senti-me aliviado, voltei a respirar a longos haustos e tratei de esquecer de uma vez por todas as lembranças trevosas daquele dia terrível.

Pela insistência, o velho mordomo acabou me acompanhando no chá, cabisbaixo, sempre fungando. Dos olhos, quase que ininterruptamente, as lágrimas continuavam a cair, descendo pelo seu rosto velho e enrugado. Talvez o que lhe restara de pessoa boa sentia em demasia o peso dos erros cometidos.

Lamentei por tudo aquilo, nem bem saíra das informações infames que os popes me haviam relatado, caíra nas recordações hediondas daquele velho que se considerava sem perdão. Eu não tinha alternativa, teria de seguir em frente, as circunstâncias me fizeram chegar até ali e não tinha mais volta. Sobrevivera a tudo, agora teria que assumir o meu lugar naquela família a que, por direito e tradição, pertencia e de cujo convívio a maldade havia-me surrupiado.

Andrei me olhou, como que acordando para coisas importantes:

— Barine, eu amei muito a barínia, ela foi meu único amor. Talvez ela nunca soubesse o quanto eu a queria, pois depois que me conseguiu conquistar teve muitos amantes. Sabe, senhor, ela era doente, pois chorava muito no meu ombro, pedindo desculpa pelas traições. Porém, compreendi que não tinha poder sobre ela. Madame Wolga era uma genuína e orgulhosa nobre, e eu não passava de um fiel vassalo. Entendi que ela podia dispor da minha vida, pois lhe era inferior — e continuava limpando o nariz com a manga do blusão, enquanto as lágrimas teimavam em correr pelo seu rosto magro e desfigurado.

— Andrei, Andrei, deixe pra lá, isso são águas passadas. Esqueçamos tudo, não vale mais a pena recordar nem trazer à tona o que passou. Quem sou eu para julgá-lo! Nunca conheci o amor, nunca amei, embora espere um dia encontrar a minha outra metade.

A noite chegou, acalmando a ventania. O silêncio tomou conta do casario. Achei que estava na hora de nos recolhermos. Se o tempo permitisse, no outro dia iria tomar posse de tudo que me era devido e tomar as providências para registrar o que recebera de herança. Passado é passado, e não volta mais. Agora, era olhar para o futuro, que parecia se apresentar promissor.

Capítulo 15

Tomando posse
da herança

A manhã estava calma, após aquela véspera lúgubre, de acontecimentos densos e inusitados. A chuva, que atormentava São Petersburgo com vento e frio, tinha serenado. Um sol tímido apontava no horizonte, as pingadeiras ainda gotejavam restos de água, e as árvores sacudiam-se vaidosamente, enquanto as gramíneas do jardim mostravam pleno vigor com o orvalho cristalizado, puro diamante que transformava os capins eretos em duros pinguins de gelo. O dia dava mostra de serenidade e benevolência. De uma coisa eu tinha certeza: naquela terça-feira não choveria mais, o dia estava calmo, claro, ainda que úmido.

São Petersburgo foi uma cidade planejada em cima de pântanos, por isso era a cidade mais úmida da Rússia. Levantei-me cedo, acostumado que era no campo a tirar o leite logo ao alvorecer. Na cidade, não perdera o hábito. Tomei o meu banho bem demorado, a água estava quente e agradável, banhava-me na banheira incrustada no dormitório conjugado da minha finada tia. Durante o banho, rememorei tudo que passara naqueles poucos dias. Tomei emprestadas as toalhas de linho, sequei-me e coloquei roupas quentes e confortáveis. Havia na mansão, nos guarda-roupas dos antigos donos, roupas lavadas por Andrei. Desci a escadaria de mármore, esquentei a água, preparei a mesa e tomei com muito gosto um bom café acompanhado de muitas guloseimas. Aguardei que o dia clareasse bem. Enquanto isso, Andrei dormia placidamente, talvez sonhando com sua amada. Coloquei uma toalha sobre o serviço de café. Depois, bem agasalhado, tomei a rua, a mansão ficava numa rua em declínio. Caminhei algumas verstás[28], aluguei um coche e fui até o mosteiro para, junto com os sacerdotes, me dirigir ao cartório do império a fim de assumir a herança que por direito me pertencia. Saímos lá pelas 10 horas e, de imediato, nos dirigimos ao lugar onde me aguardavam os responsáveis pela transferência da herança.

Foi uma cerimônia interessante. Ali mesmo fui registrado e batizado pelos padres, assinando todos os papéis. Eram propriedades rurais, castelos em mais de uma cidade. Entretanto, o castelo que estava habitável e ricamente ornado ficava em Varsóvia, a bela cidade dos reis.

Quando soube do que me pertencia, surpreendi-me por Wolga, ambiciosa e conhecida pelo seu orgulho, ter vivido na mansão tão malcuidada onde me hospedava.

---

28. Medida itinerária russa equivalente a 1.067 metros. (N.E.)

— Por que será que abdicou de Varsóvia, onde estava concentrada sua fortuna? — falei alto sem perceber.

Os sacerdotes, vendo a minha estupefação, trataram logo de esclarecer.

— Nos últimos tempos — disse Serguei, prestimoso —, a barínia não passava bem psiquicamente, obcecada por descobrir seu paradeiro e localizá-lo, talvez roída de remorso. Com a morte dos pais, o que pertencia à sua mãe ela incorporou aos seus bens sem que o marido de Nadja, seu suposto pai, cobrasse a parte da fortuna. Após a morte da esposa Nadja e da mãe, Yuri fechou a mansão onde morava apenas com criados e foi viver em outros países, Itália, França... No final, tornou-se um solitário. Só após dez anos casou-se novamente, e veio morar na Rússia. Vive entre as cidades de Varsóvia e São Petersburgo. Embora magro, tem uma saúde apreciável e, afeito ao rijo clima do país, não para muito tempo no mesmo lugar. Andarilho, leva nessas viagens sua nova companheira. Mas acho que você, com o tempo, deve se aproximar dessa família para fazer amizade e, quem sabe, conhecer mais de perto sobre sua mãe.

— Antes, porém — continuou —, deve colocar em dia sua contabilidade, viajar para os lugares onde tem bens, conhecer a gama imensa de vassalos que agora estarão sob seu comando e fazer um levantamento da sua herança para administrá-la bem. Eu posso providenciar para que você tenha aulas de boas maneiras, assuntos políticos, conhecimento de armas militares e tudo o que faz parte da nobreza. A partir de hoje, você é um genuíno Koslowsky. Você vai levar o nome dos seus avós. Essa foi uma das vontades de Wolga para devolver os bens.

Estávamos no ano de 1861, inverno. Eu havia nascido para a nobreza da Rússia e deveria ser apresentado aos reis que dominavam o país.

Assustei-me. Eu, que era acostumado, na medida do possível, a ser livre, sem os aparatos que dominavam a nobreza, com toda aquela parafernália de regras bem ao gosto dos soberanos, ia ficar meio perdido naquela selva de etiquetas, boas maneiras, cuidados e gestos de fidalguia e não ter que fazer nada, apenas mandar. Naquele instante deu-me vontade de sair dali, correndo, e fugir para a barra da saia de mãe Olga, contar a ela das minhas incertezas e dos meus temores, pois ia adentrar em um mundo novo e desconhecido, no qual, decerto, muitas gafes iria cometer.

Capítulo 16

Deixando o passado para trás

O velho sacerdote, Serguei, vendo a minha palidez e suor, tentou logo de me acalmar, tratando-me pelo nome que me era devido:

— Conde Sasha Dimitri Koslowsky, não se apoquente, você vai se acostumar mais depressa do que espera, pois só não nos acostumamos com a miséria, doença, ruína, velhice. O mais é sempre bônus para o viver dos homens.

De imediato não concordei. Achei que ele menosprezava minha condição de camponês próspero, da qual me ufanava, mas, obedecendo às regras de respeito à frente de um sacerdote de real valor, silenciei.

— Sugiro — disse-me ele ainda — que comece as mudanças pela mansão que o abriga. Contrate, em caráter de urgência, alguns serviçais. Posso ajudá-lo nesse sentido. E mande reformar a mansão. Você

pode retirar o que quiser do que está em mãos dos banqueiros. Depois de bem estabelecido, parta para averiguar as outras propriedades. Por enquanto, é bom que passe despercebido da classe nobre. Deve primeiro preparar-se culturalmente e, depois, aos poucos, entronizar-se nessa nova classe. Estarei com você, pois nos registros de hoje sou seu padrinho, e por minhas mãos será mais fácil ser recebido pela nobreza. Quando estiver pronto, eu mesmo me encarregarei de apresentá-lo ao marido de sua mãe.

Naquele instante senti que selava um novo destino. Fechava uma porta e abria outra. Partia para uma nova aventura, só não sabia para onde ela me levaria. O mundo em que eu viveria era totalmente diferente daquele em que estava acostumado a transitar. E o meu coração gelava de temor. Teria que voltar à minha província para contar aos meus. Não poderia assumir tudo aquilo sem o apoio e o conforto dos que realmente tinha por familiares.

O padre não me dava trégua, sabia o que eu pensava e continuou a me esclarecer sem hesitar, com respostas francas e esclarecedoras:

— Não, meu filho, deixe a sua família para depois. Mandarei um comunicado colocando seus pais a par das mudanças de sua vida. Agora temos pela frente muito serviço que não pode esperar. Embora o inverno seja rígido, com a neve inclemente, incômoda, criando muitas enfermidades, e o frio intenso e a umidade de São Petersburgo nos predisponha à pneumonia, congestão pulmonar e reumatismo, confiemos na sua boa saúde, no seu aspecto forte, pois há muito o que fazer.

Atônito, só ouvia e pensava, e a resposta vinha, imediata, como se ele adivinhasse meus pensamentos. O velho tinha algo de bruxo, pensei, mas como servia a Igreja não me assustei, estava na casa de Deus. E como era crente e de muita fé, herança de mamãe, confiei.

À época dos meus vinte e oito anos, minha saúde era das melhores, tinha boa estatura, era bem proporcionado, viril, e nada me incomodava. Os cortes de lenha, as cavalgadas e os exercícios no campo, com uma boa comida, haviam-me deixado em forma, e os padres diziam que eu não tinha degenerado a raça, pois me parecia muito com a linhagem dos Koslowsky.

Que ironia! Eu, que sempre estivera abaixo dessa classe que a tudo infestava com a sua arrogância e mando, agora era um deles. E teria que contratar pessoas para me servir. Um riso nervoso e cínico veio sorrateiro à minha boca, mas contive-o, para não desrespeitar os que estavam ali para me ajudar.

Serguei olhou-me e me respondeu, sem eu ter dito uma só palavra.

— Você, meu filho, se acostumará a mandar. Tudo tem seu tempo, sua hora, e não há idade para aprender, se nos esforçarmos para tal.

Sorri. Nada lhe passava despercebido. Talvez a idade e a experiência o fizessem sagaz.

Observei a sala com atenção. Nas paredes, telas e pinturas com a estampa dos imperadores e imperatrizes, além de figuras mitológicas; os móveis, escuros, de madeira pesada. Tudo dizia da sobriedade e severidade do lugar em que nos encontrávamos.

Não havia falado nada do ambiente onde nos encontrávamos, apenas respeitava e ouvia as leituras, as explicações, e assinava os papéis, tomando posse da herança que me assustava. Quase me arrependia de ter cedido à curiosidade quando a missiva que recebera convidara-me a viajar até aquela cidade para tomar posse do que, na época, não sabia o que era.

Enfim, não havia volta. Estava de posse de uma riqueza que desconhecia e que afinal era minha. Ficamos toda a manhã na azáfama da papelada, e fui convidado a cear no mosteiro. O velho sacerdote queria explicar tudo pormenorizadamente. Aceitei o seu convite. Ainda estava atabalhoado, perplexo com tudo, e queria beber na fonte do pope o que não havia apreendido lá no cartório.

Fiquei o dia inteiro, fazendo perguntas, pedindo esclarecimentos a respeito de tudo o que me pertencia.

— O tempo está ao nosso favor, rapaz, o dia firmou-se, isso quer dizer que vamos ter uns bons dias, com muito frio, mas sem chuva. Praza a Deus que a neve que nos caustica também diminua.

Voltei à tardinha para a mansão, com muitos cálculos e obrigações a serem atendidos nos próximos dias.

Capítulo 17

Primeiro contato com Natasha

Os meses foram-se sucedendo. Mergulhei no trabalho. Tomei conta de todas as propriedades que me haviam sido outorgadas. Enfronhei-me de tudo o que se passava na Rússia imperial dos czares, como também dos levantes que espocavam de todos os lados. Eram tempos de mudanças. A política aristocrática estava decadente, depois de ter por dirigentes seres dos mais inconsequentes. Nobres que nada mais fizeram do que empobrecer a santa mãe Rússia, e que conseguiram pervertê-la, talvez possuídos pelo demônio do poder, que adormece consciências e esfria os sentimentos.

Entretanto, a Rússia, que balançava entre a Ásia e a Europa, era um país em transição entre os dois mundos de relevos pouco variados. Tal como a alma russa, o clima era de excesso, arrogante, de

têmpera dura, como as terríveis borrascas de neve, fenômeno este importado da Ásia.

A primavera era fugaz, parecia ser mais curta que normal, mas os dias eram longos, se estendiam até às onze horas da noite, tornando as noites mágicas e encantadoras nas chamadas Noites Brancas, amadas pelo povo. Podia-se comparar com a nossa adolescência, cheia de expectativas romanescas. Nessas noites especiais, muito apreciadas por todos, quando o sol alumiava a cidade, o povo dormia muito pouco, para logo voltar à realidade, ao serviço duro e às responsabilidades das guerras; todavia, verão e inverno eram os soberanos que se impunham ao nosso país.

Com o vento sempre soprando forte sobre a grande planura, tínhamos a sensação de viver num longo e interminável inverno. Tudo parece esfriar a emoção, o sentimento, a razão. Dias e noites se parecem, numa paisagem idêntica, subdesenvolvida, onde tudo, inclusive os animais e o próprio homem, se rende às baixas temperaturas.

Após sete longos meses de um sono cheio de pesadelos, a grande Rússia acordava e vivia na gargalhada do desabrochar das suas flores, para em seguida queimar na chama quente de um verão tórrido. Um inverno congelante contrastava com um verão a secar o pranto na fornalha de um calor insuportável.

O clima desse país, que trago marcado no lugar mais secreto da alma, tinha mudanças e variações súbitas e extremas, influindo na minha psique de modo particular. Assim, a paisagem da alma russa correspondia à paisagem da terra russa; a natureza do homem russo se identificava com a terra, clima e estações, e ambos se completavam.

Em mim, como na terra russa, a mesma ausência de limites, a mesma vastidão e o mesmo impulso para o infinito.

As forças primitivas que carregava comigo tinham afinidade com a estrutura desse povo sofrido e com a paisagem vergastada pelo clima e pelo cenário agreste. Diria até que éramos vítimas da imensidade dessa terra e das forças primeiras e elementares das quais ela era detentora.

Ao tomar posse das minhas terras, viajei desde os Cárpatos, no oeste, ao norte da Europa. Fui aos pântanos de Pinsk pelas águas do rio Dniester e presenciei a sua grandeza. Os rios eram os principais meios de comunicação e tão gigantescos como o próprio país que atravessávamos. Passei por Kiev, cruzei os Urais e me senti parte da terra, das águas, da sua geografia potente e ilimitada. Ah, Rússia gigantesca em tudo! Grande nos defeitos, generosa nas suas virtudes, ora castigada pelo rigor da natureza, ora por ela abençoada.

À época de 1861, quando tudo me aconteceu, o czar que conduzia os destinos da Rússia era Alexandre II, conhecido como Libertador, filho de uma princesa germânica, irmã do rei da Prússia. Recebeu ele uma educação tipicamente militar, mas não tinha mentalidade guerreira.

Segundo comentários entre o povo, era de trato agradável, não era fanático pela força física, todavia era admirador da ortodoxia, seguidor de regras tradicionais, das quais eu desconfiava. Alexandre, em 18 de fevereiro de 1861, promulgou a lei que abolia definitivamente a escravidão em território russo. Emancipou os escravos de suas propriedades particulares, entregando-lhes as terras por uma soma pagável em quarenta e nove anos. Não eram mais cativos, mas inquilinos, livres, com direito a resgatar a terra.

Como eu era conhecedor do que era a vida dos que viviam nos campos, dos mujiks e da vida dura que todos nós levávamos, não impus nada quando fui às propriedades das províncias. De boa vontade libertei os camponeses, dei-lhes carta branca para assumirem suas terras dentro das minhas e, pela primeira vez, negociei salário com aqueles que me serviriam ajudando-me a administrar e a cultivar as minhas propriedades e a cuidar do gado e da agricultura. Com isso, ganhei entre eles crédito e confiança. Àqueles que não quiseram tomar posse das terras doadas por mim porque estavam velhos, mandei reformar suas isbas[29], de forma que elas se tornassem adequadas para o seu viver. E como cuidavam da parte doméstica da propriedade, fazia-os separar parte dos produtos do campo de melhor qualidade para seu próprio consumo.

E assim fui, entre viagem de chão ou navegando pelos rios, aderindo à nova política daquele valente povo. Neste período, mantive correspondência com meus pais adotivos, colocando-os a par de tudo. As cartas que me enviavam eram de estímulo e de alegria por eu ter encontrado meu caminho e as minhas raízes.

Tinha um desejo íntimo que me queimava como fornalha de verão: conhecer o esposo da minha mãe Nadja. Sabia do seu segundo matrimônio e investigava seus interesses, em que trabalhava, quais eram suas inclinações.

Certa feita vi-o de relance, em uma das ruas de São Petersburgo. Parecia esperar alguém impacientemente. Senti um frio no estômago, como se ele fosse o meu verdadeiro pai. Era um homem taciturno, melancólico e de olhar triste, apesar de ter um corpo esguio e retilíneo, postura de militar, queixo erguido e caminhar nobre e firme.

Representava ser um homem de caráter e ter as rédeas das emoções sob controle. Ao vê-lo, assim, na singeleza da sua nobreza,

---

29. Habitação camponesa. (N.E.)

enrubesci, pois eu não passava de um camponês rústico e de gestos bárbaros. Minha índole era ou parecia turbulenta, semibárbara ante a melancolia daquele homem de fisionomia triste, pois parecia que ele ainda pranteava a morte da minha mãe, apesar dos anos passados, e eu era possuidor de um segredo que foi por todo esse tempo guardado a sete chaves.

Ele havia casado, após os longos dez anos de viuvez, com uma nobre que soube, com seu encanto juvenil, prendê-lo pela candura.

Desse matrimônio nascera uma filha que se chamava Natasha, elegante como o pai, olhos esverdeados, escuros como uma tempestade na floresta. Aparentava serenidade nos gestos, na postura, mas seu olhar não renegava a raça violenta como uma borrasca de neve; seus gestos, porém, eram precisos e leves qual uma noite de luar. Ela era uma legítima russa.

Quando ela apareceu e pegou nos braços do pai, meu coração se enterneceu, e eu tive ímpeto de chegar até eles e os abraçar afetuosamente. Estava naqueles dias terrivelmente carente e solitário. Mesmo com tanto dinheiro e propriedades, me sentia muito solitário. Olhei-os na majestade da sua grandeza, e eu não passava de um mujik rico e discriminado no meio de uma nobreza decadente em permanente contenda com seus vassalos libertos.

Naquele dia em que a primavera parecia mais fugaz, voltei para casa e me fechei no meu novo gabinete. Lá fiquei, circunspeto e de coração partido. Desejei estar com a cabeça no regaço de mamãe Olga e contar a ela todas as minhas angústias. Nunca provara a exclusão, o preconceito, porque onde havia vivido isso não existia.

Agora era rico, muito rico, ainda assim, muito infeliz.

Capítulo 18

Conhecendo a nobreza

Lembrei que entre os guardados de minha tia Wolga havia uma carta em que ela relatava que Yuri, o marido de minha mãe, ficara com o dote dela por saber que seus pais não queriam nada da filha, nem suas joias, nem seus pertences mais íntimos, já que detinham um segredo que os envergonhava perante o genro, mas se eu fizesse questão poderia, com a carta, enfrentar o conde. Só que a carta, mais uma vez, era uma mentira. Soube mais tarde que o conde transferira para tia Wolga todos os bens de Nadja.

Minha tia não tinha jeito, mesmo dentro da sepultura ainda queria disseminar o mal e prejudicar a memória da sua irmã, magoando gente honesta.

"Conde Yuri, você poderia ser meu pai, e eu seria um bom filho", conjecturava comigo mesmo. Qual cavalheiro russo que não suspiraria por um filho varão? Mas parecia que ele se orgulhava da sua Natasha de nariz arrebitado, postura prepotente, orgulhosa como um cavalo de raça.

Ao me lembrar daquela donzela, meu coração se agitou. Um calor incomum subiu pelas minhas virilhas, e eu me envergonhei dos sentimentos de que me vi possuído. Nenhuma mulher até ali tinha despertado emoções tão quentes e sentimentos tão turbulentos em mim, embora tivesse uma índole selvagem.

Naquele dia de primavera, a lenha na lareira crepitava, como crepitavam em meu íntimo ânsias quase incontidas no meu ser genuinamente russo, atormentado como as borrascas de neve que vinham da Ásia.

Na hora do almoço, fui servido pelo meu novo empregado de quarto, Brusk no próprio gabinete onde eu fingia examinar papéis de contabilidade para fugir da amplidão dos salões e das peças enormes da mansão reformada.

O que fazer para ser aceito por aquela classe a que tinha direito por herança e por linhagem? Eu nascera de uma fidalga Koslowsky. Precisava buscar ajuda, fosse de que parte fosse. A carta confirmava um direito que me pertencia. Eu era um deles, de verdade, não estava em um lugar errado nem conspurcando lugar de ninguém.

Quando o czar Alexandre II impôs medidas modernizadoras, libertou os escravos da tutela dos senhores da terra e paralelamente procedeu a uma reforma agrária, administrativa, educacional e de justiça. Mas sua atitude não teve como intenção o humanitarismo. Um dos motivos foi a humilhante derrota da Rússia em seu próprio território na Guerra da Crimeia, que durou de 1854 a 1856, e o atraso do país em comparação a outras potências. Isso a história oficial não conta, mas nós, que fomos camponeses, sabíamos muito bem. O czar percebeu a falta de progresso e, numa audiência com a nobreza, pronunciou uma frase que ficou na história: "É melhor abolir a servidão de cima para baixo do que permitir que ela seja abolida de baixo para cima". Isto é, em levante contra a classe privilegiada.

Nesse intervalo, vivia eu aos pés dos montes Urais, em província próspera.

Enquanto tomava conta da herança que me cabia como legítimo herdeiro, a terra estava dividida em grandes e pequenas propriedades e nos *mirs*[30], também chamados comunas. Eram comunidades organizadas por aldeias, onde os camponeses lavravam coletivamente a terra. Após a "Abolição da Servidão", surgiram com o tempo os *kulaks*[31], uma categoria de camponeses independentes e minorados. Com isso, a solidariedade de classe ficou seriamente ameaçada.

Ah! Os burgueses, e eu fui um deles, porque assim era considerado, um homem que veio do povo sem nenhuma qualificação que merecesse ser reconhecido como nobre. Por ter herdado uma fortuna de uma louca, mas naturalmente próspero, e detendo ainda um título de nobreza que as pessoas não achavam justo, eu não era respeitado, permanecia camponês. Então, me decidi pela burguesia. Era, naqueles tempos difíceis de transformação política e econômica, o mais viável. Fui instruído para sobreviver sem ser engolido pelos camponeses ou zombado pelos nobres arruinados.

Levei cinco anos trabalhando e me instruindo constantemente. Aprendi o grego com facilidade e me aprofundei nessa

---

30. Literalmente, sociedade na Rússia. (N.E.)

31. Termo pejorativo usado no linguajar político soviético para se referir a camponeses relativamente ricos do Império Russo, que possuíam grandes fazendas e faziam uso de trabalho assalariado em suas atividades. (N.E.)

língua. As missas que eram rezadas nesse idioma se tornaram para mim mais interessantes. Li Sócrates e Platão em sua origem linguística e absorvi plenamente "a maiêutica[32]", o parto das ideias. Aprofundei-me no conhecimento do meu povo, de onde ele surgiu, suas qualidades, defeitos e heroísmo. Neste meio-tempo compreendi e presenciei a força que possuíam a Igreja Ortodoxa e seus representantes. Estudei piano, violino, pensei talvez trouxesse a tendência genética da minha mãe, isto é, facilidade para as artes. Fui instruído a reconhecer os bons quadros e a valorizá-los, adquirindo-os para os meus palácios. Aos 35 anos era um homem sábio e solitário, se bem que afortunado de bens materiais.

Meu padrasto, com as divisões das terras e os levantes dos camponeses, fechou seu palácio em São Petersburgo e foi morar na luxuosa propriedade que possuía em Varsóvia. O destino não lhe foi promissor. Ao fazer muitos negócios malfeitos, foi empobrecendo.

Embora eu, no anonimato — colocava outras pessoas para atendê-lo nas suas necessidades financeiras — emprestasse-lhe vultosas quantias para reabilitá-lo, tudo era em vão, estava fadado à ruína. Era uma sina que eu não compreendia. Bastava resolver aplicar nisso ou naquilo para o negócio naufragar. Tomava as decisões mais estapafúrdias, as quais eu não compreendia. Muitas vezes, por enviados meus, mandava-lhe dicas preciosas sobre um bom negócio sem que ele desconfiasse; entrementes, não dava ouvidos. Vendia na baixa, adquiria na alta e perdia grandes quantias em um piscar de olhos. Quando tomava conhecimento,

---

32. Na filosofia socrática, arte de levar o interlocutor, por meio de uma série de perguntas, a descobrir conhecimentos que ele possuía sem que o soubesse. (N.E.)

eu ficava deprimido sem atinar com o motivo. Por fim, desisti, estava arando em terreno árido e o deixei à sua própria sorte.

Neste tempo, a nobreza — ociosa e sem tino comercial, sem possuir servos que trabalhassem gratuitamente em seus empreendimentos — gastava tudo que possuía do campo e da agricultura. Sem rublos para manter seus negócios, viu em mim, até então motivo de seu desprezo, um prêmio cobiçoso para suas donzelas. Comecei a frequentar, a convite, os salões nobres e a ser apresentado a todas as moças disponíveis. Elas não me davam folga e, entre si, concorriam. Instruí-me em casa, na arte de dançar, com elegância, todas as quadrilhas, mazurcas e valsas, e deleitava-me a rodopiar com as mais diferentes mulheres jovens pelos belos e requintados salões, como mandavam as regras sociais.

Era gentil e amável com todas. Quando estava entre condes, marqueses e príncipes, portava-me com altivez, e não havia assunto de que não estivesse a par. Fui aos poucos conquistando-os. Minha inteligência desabrochava com os estudos, e isso devo aos popes que me adotaram e tudo me ensinaram em memória à minha mãe e aos meus antepassados. Foram eles que me conduziram, com mãos hábeis, a escolher as melhores confecções de roupa, os chapéus, os sapatos, etc.

Mulheres que outrora eram nobres e agora arruinadas monetariamente davam-me aulas de etiqueta, de dança e sobre os costumes usados na moda de então. Embora fosse um aluno aplicado, meus mestres não deixavam por menos, assim eu os pagava bem e regiamente.

Abri algumas vezes meus palácios para receber e retribuir as festas para as quais eu era convidado. Os nobres, que a princípio me esnobavam, ao adentrarem em minhas propriedades observavam *in loco* que em mim não havia mais resquícios de um *mujik*. Os móveis, as pinturas das paredes e os adereços eram todos de alto valor e requinte.

Aproveitei muito as louças, os cristais e as pratarias que herdei de tia Wolga, que tinha bom gosto. Ela sabia escolher o que era duradouro. Todos que frequentaram meus palácios aprovavam desde a comida, o caviar e os canapés, às bebidas importadas. Naqueles dias de transição, nem todos tinham o privilégio de receber os convidados com a pompa com que eu me apresentava, por isso destacava-me dos demais. Naturalmente, granjeei inveja, falsos amigos e inimigos gratuitos. O falatório não me importava. Mostrei a todos que podia ser um deles sem esforço, ou melhor, era um deles, meu corpo procedia de um organismo de linhagem nobre. Ainda que isso não me importasse, precisava mostrar a mim mesmo que podia superá-los me superando. Lutei, trabalhei, esforcei-me e venci.

Capítulo 19

Amor obsessivo

Natasha. Meu coração estava prisioneiro de um olhar meigo e ao mesmo tempo orgulhoso. Pensava: "quase que ela foi minha meia-irmã". Só de me lembrar disso, estremecia. E se de fato eu não fosse filho daquele adestrador de cavalos e sim filho verdadeiro de Yuri, marido de minha mãe Nadja?

Estaria amando minha própria irmã! Li Dostoievski[33]. Ele era pródigo em narrar incestos, como relacionamentos entre pai e filha, por exemplo. Meu ser todo repudiava aquela ideia abominável, esdrúxula. Mas me vergava como um galho em noite de tempestade. Um frenesi corria pelas minhas veias, mostrando as entranhas da minha natureza carnal que se agitava e desejava amar, aliás, possuir e ser possuído.

---

33. Escritor russo do século 19. (N.E.)

Havia de minha parte uma paixão que doía no silêncio da minha intimidade. Nas noites longas de inverno, quando o sono custava a chegar, era Natasha que povoava minha mente, sem esperança de ser por ela amado. E eu, que tinha aos meus pés toda a nobreza de São Petersburgo, ansiava pelo calor chamejante daquela mulher que passava despercebida na corte dos czares, sempre preocupada com seu pai, a quem por certo amava muito.

Quando nos encontrávamos em festas, cheias de pompas, luxo e superficialidade, eu dançava, me exibia dentro da minha posição para ver se despertava o interesse dela. Não era possível que não me visse, pois eu não passava despercebido ante o bando de moças que me rodeava, bajulando-me.

Quando nossos olhos se encontravam, eu estremecia e balançava em frente ao verde-turquesa dos seus olhos que me gelavam. Muitos lhe faziam a corte, menos eu, que não criava coragem. Se dançasse com ela, poderia me trair. Às vezes, parecia que entre nós havia um entendimento, mas ele era sutil demais, quase imperceptível. A luz dos seus olhos, assim que se incendiava, num eclipsar esfriava, e eles voltavam a ser naturais e indiferentes. O que me gratificava é que ela se portava com todos da mesma maneira.

Certa feita, quando saía do salão de conversa sobre assuntos de investimentos entre velhos barines e antigos militares, ouvi determinada cortesã mencionar seu nome com certa malícia:

— Se não aproveitar ainda a mocidade e o frescor da sua beleza, Natasha não encontrará mais nenhum pretendente para casar. Com as finanças do pai deficitárias, sua mãe eternamente fraca e enferma, deperecendo dia a dia e não mais acompanhando as festas tradicionais, ela ficará para titia, coitada.

Fiquei prestando atenção com interesse, mas era orgulhoso demais para me expor, ou covarde demais. Queria ser amado e não ser um troféu a ser conquistado. Não queria comprar ninguém para me amar. Ou tudo ou nada, por enquanto estava na última opção. Haviam se passado cinco anos, e eu nutria do fundo da alma aquele amor tão forte e tão absoluto.

Amava-a obsessivamente. Quanto mais os anos se esvaíam na ampulheta do tempo, mais forte o amor se fazia. E quanto mais intensos os meus sentimentos, mais eu os escondia de todos, menos de mim mesmo. Não podia me enganar, era pai e filho desse sentimento. Era causa e efeito. E dele não podia me apartar, como o mar das enseadas, como as ilhas das águas que as circundam. Era o meu segredo compartilhado apenas pelos fantasmas que não me deixavam, solidarizando-se com meu voluntário abandono.

Capítulo 20

A missa

Era domingo, levantei-me cedo e fui à missa na catedral de São Isaac. Sabia que lá encontraria Natasha. A cidade, ainda adormecida, se espreguiçava, preparando-se para o dia dedicado à religião, à família e aos passeios. O caminho naquela manhã parecia mais longo, e a tensão dos meus nervos, à flor da pele. Eu estava ansioso para o encontro de, pelo menos, nossos olhos, do pulsar dos nossos corações, dos nossos sentimentos, sem expressá-los em gestos ou palavras.

    De expectativa alentadora apressei o passo e, de degrau em degrau, subi em direção à nave onde todos iriam rezar e falar com Deus. Fragmentos e parte de mim, como o carvão, incandescidos em direção a ela. Em breve — pensava — estaria nela, e ela estaria em mim. Nossos sentimentos se cruzariam ou se refundiriam, não sei, só sabia dos meus sentimentos ardentes, tensos e intensos por ela. Minha mensagem haveria de encontrar eco nas suas entranhas. Subitamente encontrei-me à entrada da Casa de Deus, sem nenhum gesto, minha ação ficou inacabada. Teria que, no silêncio dos fiéis, ante a música sacra entoada baixinho por vozes infantis, entre agudos e graves, em louvor ao Senhor, penetrar no recinto. Olhei a todos, ouvi os cânticos e me perguntei se realmente aquele era o fim de um ato.

Atordoado, não sabia. No momento avaliava todos os prós e os contras, quando na minha pele transpareciam os nervos tensos que me faziam tremer de frio ou de tensão naquela névoa, no arrepio cortante do vento em navalha. Apesar de tudo, os sentimentos me fortaleciam. Quando dei com os olhos nela, tremor e fagulhas de calor percorreram todo o meu corpo. Estava tenso, e ela me parecia tão distante. Sucumbi em mim, como já sucumbira muitas vezes, ao vê-la, esbelta e serena, ignorando minha presença que aparentemente não a incomodava.

Seu pai, ao ver-me, levantou-se e veio ao meu encontro. Para minha surpresa, convidou-me a participar da missa junto ao seu clã. A música sacra e sentimental fazia o fundo, e eu, como se caminhasse sobre neve, dirigi-me com Yuri para o lugar indicado. Ao passar por ela, os nossos olhos se cruzaram, e, sem querer, meus braços passaram roçando pelo seu vestido, que farfalhou ao meu toque leve. Para mim, era como se tivesse lhe tocado o corpo, o gosto salgado dos meus lábios mordidos aumentou minha ansiedade.

Fiquei assim, às voltas com as forças biológicas, sem conseguir me concentrar nos sinos que indicavam os momentos de ficar ajoelhado, sorvendo aos borbotões as sensações que me dominavam. Sabia muito bem o que sentia e, ao deleite dessas sensações, deixei-me levar.

Não era só amor que sentia por Natasha, era uma paixão ardente. O meu corpo queria fundir-se por completo ao dela. Precisava matar a paixão que devorava e queimava meu ser. Os ritos monótonos da missa se arrastavam seguindo a programação de costume, enquanto em minha mente eu a via passar flutuante, leve nos seus movimentos encantadores.

Por Cristo! Como amava àquela criaturinha! De soslaio, olhei-a e lá estava ela, concentrada, indiferente, estranha, todavia interessante e... divinamente esplendorosa. Fazia jus à sua origem.

Yuri inquietava-se com a minha atitude desconcentrada, eu não acompanhava a missa com a devida atenção. Por um momento virou-se para mim com aquela cabeleira grisalha, de fisionomia melancólica, e, baixinho, me perguntou se eu estava me sentindo bem.

Conscientizei-me de que estava atraindo a atenção dos demais com a minha inquietude e, assentindo com a cabeça, disse que estava tudo bem. Terminei concentrando-me na cerimônia religiosa.

Mas minha cabeça não conseguia concentrar no ritual, e, sinceramente, não me considerava mais religioso e ingênuo. A vida havia-me rasgado a fé fanática que nos mandava acreditar porque tinha de ser assim. Ensinar que Deus castiga, pune, toma partido do forte contra o fraco — camponês, povo, criados, serviçais —, ou seja, contra tudo que não pertença à nobreza, para mim, era um dogma de fé. Vi padres fazerem apologia da dor e do sofrimento, dizendo que o sofrimento era agradável a Deus. Camponeses eram orientados pela Igreja a suportar a fome e a morte dos seus filhos por falta de comida e medicamento. Segundo a Igreja, tais sacrifícios os tornavam filhos diletos do Criador. Servos deviam obediência cega aos seus senhores porque Deus os havia escolhido para dirigir os destinos do povo. No entanto, eles, dentro dos seus redutos, disputavam entre si as terras que recebiam dos czares, numa ganância sem nome. Em tudo isso eu pensava para afastar as sensações esquisitas, algo que remexia minhas entranhas com o desgoverno da respiração, opressão no peito, tentando excomungar o proibido desejo carnal.

Com o decorrer das elucubrações, meditações e das movimentações dos sacerdotes no altar, consegui superar em parte o tormento das sensações que me envergonhavam o pensamento e me consumiam as forças.

No final da missa já estava recomposto e dono dos meus sentimentos, com o comportamento adequado e aos moldes da época.

À saída, à frente, iam Natasha e suas amigas, seguidas por sua mãe; atrás, íamos Yuri e eu.

Yuri dirigiu-se a mim e me convidou para comer com eles:

— Conde Koslowsky, tenho o prazer de convidá-lo a juntar-se a nós para a refeição dominical. Seria um prazer que aceitasse nosso convite. Tenho curiosidade em conhecê-lo melhor, pois minha primeira esposa era uma Koslowsky.

Estremeci quando ele se referiu à minha mãe. Desconfiava de alguma coisa e desejaria confirmação. Pois de mim não lograria o intento. Jamais delataria quem me colocou no mundo, seu segredo estaria bem guardado comigo. Pensei um pouco, e senti da parte dele certa ansiedade pela resposta. Anuí:

— Hoje estou disponível, senhor conde, será um imenso prazer sentar-me à mesa de tão nobre família.

Ao responder assim, vi certo alívio na expressão fisionômica do conde. Ele então se abriu num sincero sorriso, batendo-me nas costas com fraternal intimidade, agradecendo-me.

Tomamos dois coches, em um estavam as senhoritas e a esposa de Yuri. No outro, de minha propriedade, fomos nós dois, falando amenidades.

Capítulo 21

Na casa do conde Yuri

Quando nos acomodamos na grande sala de estar, Yuri, após me deixar à vontade, mandou me servir uma bebida, e passou a caminhar de um lado para o outro, com a fisionomia preocupada, demonstrando certa ansiedade. De repente, parou por um instante o seu vaivém em frente a mim, olhou-me fixamente e falou pausadamente:

— Conde, há pouco descobri com meus contadores que é você quem tem me socorrido nas minhas necessidades, cobrindo vultosas quantias que perco nos investimentos que faço erroneamente. Não o conheço e nunca soube que os Koslowsky tivessem parentes próximos para assumir a fortuna da barínia Wolga. Sinto em tudo isso muito mistério, que talvez envolva a minha pessoa e Nadja, minha primeira esposa. Por que você me cede tantos rublos a um juro irrisório? Eu o desconheço totalmente. Nunca tive negócios nos Urais, mas a família de Nadja, sim. Veja você, meu caro jovem, estou falido, na ruína, o que me sobrou pertence a você, e, ainda assim, ficarei lhe devendo muito mais do que disponho. Gostaria que me satisfizesse a curiosidade.

Eu, por minha vez, enquanto degustava a bebida generosa, olhei-o, sereno na aparência, querendo intimamente conter a torrente de emoções que envolviam meu ser. Contudo, pela percepção sensorial,[34] observava minha mãe, aflita, tentando apaziguar aquele velho homem de caráter e boa índole. Via-a desdobrar-se entre mim e o conde, tentando acalmar nossos ânimos.

Por Deus! Ali eu era um vencedor e à minha frente estava um derrotado entre as tormentas dos negócios, vergastado pela economia da Rússia arruinada. Com a abolição dos escravos, mais a garra dos vassalos, a nobreza vinha em permanente decadência, moral e monetariamente.

Meu pai, que ainda vivia asfixiado pela corda que o levara para o outro mundo, de joelhos, perto de mamãe, chorava, talvez por achar que ao dar cabo da vida material se libertar das amarras das classes sociais da época. Que engano terrível! Deu-se mal, piorou muito mais a sua situação. Além do sofrimento atroz pelo qual passa um suicida, pois não consegue se libertar do corpo em decomposição, agora parecia mais um vivo e morto, com mais um agravante, a asfixia, que não o deixava respirar.

Enquanto aquele homem de estirpe pedia-me explicação dos meus atos, entregando tudo que possuía e ficando sob o meu poder, meu íntimo chorava, porque, apesar de meus rublos, propriedades, tino para os negócios, e ele tinha o único tesouro

---

34. Veja mais em *O Livro dos Médiuns* (São Paulo, Petit), Segunda Parte, Cap. 14, questão 167. (N.E.)

que eu mais queria — Natasha. Certamente sem preço, porque homens de caráter não colocam à venda seus sentimentos, ou melhor, seus afetos.

— Responda, conde, qual o motivo de você me socorrer nos piores momentos da minha vida? Deve haver interesse que desconheço. Quem sabe você irá me revelar — insistia ele — coisas inusitadas que eu não sei.

Enquanto admirava o cristal da Baviera entre meus dedos, olhando através dele, falei:

— Não há segredo algum, conde Yuri, são apenas negócios. Por sabê-lo de palavra e com muitos bens, foi fácil seus contadores me convencerem a ajudá-lo. E como sabia que no passado havia-se ligado à família a que pertenço, casado com a barínia Nadja, não me foi difícil auxiliá-lo nas suas dificuldades, e o fiz com muito prazer.

— Sasha Dimitri, custo a me convencer de que é só por isso — falava ele com muita emoção. — Faz trinta e cinco anos que perdi Nadja, quando ela deu à luz meu filho. Eu não estava em casa para socorrê-la, ele nasceu prematuro e não sobreviveu.

Enquanto ele falava, mamãe Nadja, ao meu lado, na outra dimensão, chorava em desatino quando viu o marido com os olhos marejados de lágrimas sentidas, falando do quanto a amara. Meu pai, sufocado pela corda que o enforcara, também grunhia sons roucos e difusos que escapavam da garganta inchada.

Levantei-me da poltrona confortável e me aproximei do conde. Tinha vontade de abraçá-lo e estreitar nossos laços, confidenciar as minhas inseguranças e solidão. Contudo, apenas coloquei o meu braço no seu ombro, como fazem os homens fiéis aos princípios. Apesar de não consolá-lo como desejava, não tirei vantagem da sua fraqueza. Apenas lhe disse:

— Esqueça o passado, o presente promete muito para o futuro. Os levantes estão desestruturando as bases da nossa amada Rússia. Precisamos juntar forças para protegê-la dos saltimbancos travestidos de patriotas. Emprestei-lhe as importâncias porque vi que, como todo bom cidadão deste país, você precisava de oportunidade para superar os dias menos promissores. Quanto às suas propriedades, fique com elas, produza. Fique atento aos investidores e seja firme. Se nos unirmos, venceremos os maus dias.

Neste momento fomos chamados pelo mordomo para passarmos à mesa das refeições. Yuri foi direto à cabeceira, seguido pela sua mulher, a filha e suas amigas. Eu fui um pouco atrás e admirei a elegância da família, principalmente de Natasha, que caminhava com majestade ante meus olhos admirados e apaixonados.

Yuri indicou o meu lugar perto de si, diante de sua mulher, Walesca. As senhoritas, uma em frente à outra, esperavam o momento para se sentar. Após pequena prece feita pelo senhor da casa, de imediato sentamos, e, a partir de Yuri, a refeição foi sendo ofertada por criados calados que nos serviam com as melhores iguarias da casa, regada a refrescos e outras bebidas.

Deliciei-me com o bom gosto, com o novo tempero que experimentava, satisfeito com tudo. As moças, tagarelas, falavam do último baile e preparavam-se para o próximo, nos primeiros dias de inverno, em novembro, antes das neves fortes. Natasha, apesar de solícita, era menos barulhenta. Muitas vezes a surpreendia me examinando com certa curiosidade. Às vezes me aprovava, outras se tornava taciturna como se a afligisse possuir um segredo. Isso me incomodava, parecia um jogo de adivinhações! Que segredo poderia esconder tão bela fada de olhos verdes-turquesa que quase me gelavam, penetrando nos mais escondidos escaninhos da minha alma? Ao mesmo tempo em que me gelava, a minha mente frenética buscava também aquele ser no fundo de uma fênix, cuja imagem era apenas aparência. Lá no fundo esperava encontrar uma alma quente, apaixonada, para a minha felicidade. A frieza só era aparente.

Depois de nos alimentarmos como reis, deixamos a ampla sala das refeições e nos aconchegamos em sala mais íntima, onde nos foi servido café. As moças pediram licença e foram para outra sala da casa, para conversar e quem sabe trocar confidências.

Natasha estava com três amigas, e elas, sabendo-me rico e disponível, tentaram comigo alguns flertes. Fiz-me de desentendido, tentando concentrar-me nos assuntos triviais que entabulava com o dono da casa. De quando em quando, risos insólitos chegavam até a nossa sala, à semelhança de pássaros cantantes a nos espiar. Contudo, só enxergava as amigas de Natasha. Por que ela também não me espionava?

Falamos sobre o tempo, o inverno que se aproximava, política, sobre a família dele e economia. Quando a tarde morria e a velha Rússia cochilava entre planícies e montes, pedi licença ao conde e, ao despedir-me, perguntei ao bom homem se poderia cortejar sua filha, para seu espanto e surpresa.

— Barine, você está interessado na minha filha, uma moça cujo pai está arruinado?

— Conde, tenho acompanhado de longe sua família, e vejo que sua filha, além de lhe ser dedicada, é a mais prendada em dotes morais, entre todas as moças daqui de São Petersburgo. Para cortejá-la, gostaria não só da sua aprovação, como também a dela. Se a dela for negativa, não mais imporei a minha presença em sua casa.

— Muito bem, meu jovem. De minha parte, nada tenho a reprovar. Vou consultar minha filha, e o mais breve possível darei a você uma resposta.

A noite se avizinhava, tomei minha caleça e, com um "boa noite a todos", me retirei.

Capítulo 22

Sementes do Comunismo

O inverno chegou carregado de maus presságios, ventos, nuvens escuras. As aves, acossadas pelo frio e os ventos cortantes, fugiam para outras regiões em suas migrações anuais. A terra era um mar branco desde as cumeeiras das casas até o chão; quase não se via o verde das árvores que, escondidas, estremeciam de frio, morrendo sufocadas pelo laço branco e gelado da neve que continuava caindo como um lamento inclemente. A Rússia, como sepulcro caiado, permanecia, na aparência, quieta e serena. Nas convulsões interiores, o povo e a aristocracia se afrontavam, na ambição de ficar com a maior parte do bolo, e isso envolvia a Rússia e os países vizinhos. Descrevo sempre o inverno porque era esta a estação que vivia o ano todo dentro de mim — o frio tomou-

-me a alma e tornou gelada minha personalidade, me fez duro, exigente e inflexível.

O poder estava nas mãos da aristocracia, homens frágeis para o trabalho pesado, enquanto os servos estavam acostumados ao rigor dos trabalhos braçais, por isso tinham mais garra e energia para lutar pelo que acreditavam. Apesar de tudo isso, as festividades de São Petersburgo não se intimidavam com os levantes, e os convites continuavam sendo confeccionados com esmero nas gráficas de pequeno porte. Quando recebíamos o convite, este nos dava alento para as diversões ao meio de lutas que, apesar de tudo, isto é, do czar, da nobreza, da aristocracia, da burguesia, do proletariado e dos camponeses, prosseguiam.

Não mais me encontrei com o conde por um bom tempo, pois as nevascas nos deixavam muito ocupados com nossas propriedades, campos e com tudo que era perecível ao frio e ao relento.

De posse de um convite para comparecer ao baile de inverno oferecido pelo czar, entusiasmei-me, embora sabendo que fora contemplado com o honroso convite mais pelo que possuía do que especialmente pela minha pessoa. Por alguns ainda era considerado camponês. Soube por conhecidos que o clã de Yuri não apenas tinha sido convidado como também compareceria. Exultei, talvez fosse a oportunidade de poder dançar com a condessinha e saber por ela mesma ou pelo pai o que haviam resolvido sobre as minhas intenções.

Fiquei eufórico e esperançoso, treinei todas as danças e recapitulei o que estudara sobre comportamento social, etiqueta e como entabular conversas agradáveis entre damas e cavalheiros. Assim, consegui desanuviar a mente e, apesar de entediado com o tempo, pus-me a sonhar com aquela noite que poderia ser de sucesso ou de fracasso com a minha eleita.

Estávamos numa quinta-feira, e daquela data separavam-se quinze dias do evento; decerto para as senhoras e senhoritas planejarem novas roupas, figurinos modernos, de preferência franceses ou ingleses. À época, a Rússia importava tecido da Europa Ocidental. Ainda que os conflitos e as comunicações via mensageiros não cessassem, a moda e os estilos, apesar dos tempos rudes, atravessavam fronteiras e brilhavam nos nossos salões.

Minha expectativa era a de um jovem tenso e ansioso com o primeiro baile e o primeiro encontro. Foram dias sobrecarregados, mas de agradável espera.

Os negócios iam bem, de "vento em popa". Cada dia prosperava mais. Tinha boas relações em ambas as classes, tanto do pobre vassalo como do rico. Compreendi que minha inteligência, com os estudos, desabrochara para a economia e a administração. Eu era sóbrio e comedido nos negócios e nunca fui ao exagero de ser sovina. Meu comportamento era o de um burguês bem situado na vida. Jogava com as especulações, e a "sorte" sempre esteve ao meu lado, se bem que hoje saiba que sorte deve-se muito à capacidade de discernir com inteligência as oportunidades que surgem à nossa frente, usando-as com critério. Com isso, as classes conservadoras da aristocracia, extremamente sensíveis à qualquer perda de seus privilégios sociais e econômicos, difamavam-me sem pudor por saberem de meu bom relacionamento com as classes proletárias. O clima de tensão social em todo o país aumentava entre os setores populares. Eles reclamavam que a terra era ainda insuficiente, pois alguns aristocratas latifundiários a dominavam; às classes populares, por sua vez, faltavam recursos técnicos e financeiros para uma modernização da agricultura, traduzindo com isso baixa produtividade, provocando crises de alimento, afetando os camponeses e a população urbana.

Já, nessa época, as ideias marxistas[35] eram introduzidas no país por meio de intelectuais socialistas, preocupados em organizar a classe trabalhadora. Estive em muitas dessas reuniões, mas intimamente não concordava com elas.

De fato, eram muito bonitas no papel e em livros e nas teorias, todavia, na prática, achava-as inviáveis, por conhecer as almas russas, intrépidas, rústicas e orgulhosas.

Pobres e ricos eram terrivelmente orgulhosos de si e da terra, desde que lhes pertencesse.

O que é de todos não pertence a ninguém, isso ainda em nosso planeta nos distingue em individualidade. Massificar era como perder a identidade do que éramos e do que seríamos. Tal como animais, como manadas colocadas em piquetes, todos iguais. Contudo, o homem, entre acertos e erros, procura a sua evolução a partir de si para o outro; e, como ninguém é igual, o decantado comunismo fez o que fez na atualidade, um país e suas unidades derrotadas. Mas já naquela época os camponeses sonhavam com esse regime.

---

35. Relativo a Karl Marx, filósofo, sociólogo, economista e político socialista alemão, fundador, junto com Friedrich Engels, do chamado Socialismo Científico ou Marxismo. (N.E.)

Capítulo 23

Tempos difíceis se avizinhando

Ficava apreensivo com as notícias que corriam o país. No tempo em que a terra se dividia em grandes e pequenas propriedades e nos *mirs*, o Estado Russo organizava-se numa monarquia absoluta, autocrática, apoiada na aristocracia e na burocracia civil e militar. O czar exercia o poder absoluto, ditatorial, governando por decretos e por instrumentos jurídicos de exceção.

    A monarquia imperava, dominadora; a ausência de liberdade individual, como também a censura à imprensa e a proibição de greves, de reuniões e a decretação de penas de prisão ou de exílio por decisão administrativa transformavam o reino do czar em reino de terror. A população vivia à míngua, com fome e doente, brutalmente menosprezada pelos nobres, que, por sua corrupção e arrogância,

distanciavam-se cada vez mais do povo, empurrando-o para o liberalismo, fortalecido pelos burgueses, ansiosos pela reformulação política que rasgasse o conformismo e a resignação em obediência ao czar, "paizinho", o representante de Deus na Terra, crença que o povo era obrigado a aceitar.

A despeito da fé cristã que os impedia de marchar contra o czar, o despertar da consciência da classe operária rondava a política e a economia russa, cada vez mais pagã, afastando-se de Deus.

Os momentos de orgulho nacional, "grão-russo", seriam completados pelo culto à raça eslava. A celebração da superioridade dos russos foi ponto de atrito entre as demais nacionalidades, preparando o terreno para a nova política que se avizinhava em nosso país.

À época, os não russos eram mais de cinquenta por cento da população, oprimidos, discriminados, marginalizados nas fronteiras do império czarista. O movimento político da russificação em relação às outras nacionalidades obrigava finlandeses, poloneses, lituanos, ucranianos e letões a se expressar obrigatoriamente em língua russa, fazendo com que seus valores e tradições fossem desprezados. Yuri, envolvido com a Polônia e com seus negócios centrados nesse país, tentava, de uma forma ou de outra, auxiliar no que pudesse, ofertando milhares de rublos para as suas necessidades, e, dessa forma, sua fortuna esvaía-se para os bolsos dos chamados não russos.

Junto com os camponeses, cada vez mais empobreciam as classes nobres, sem fé que as estruturasse. A nobreza conhecia muito bem a ganância da ortodoxia e as tensões sociais e políticas que se vinham acumulando na sociedade russa, assim como os acirrados levantes do populacho. E dessa nobreza fazia parte Yuri, fragilizado e quem sabe incompetente para tocar os seus negócios.

Capítulo 24

Os tempos difíceis se fazem presentes

Dessa forma, o relógio de areia dera hora marcada para as mudanças. O que era não podia mais ficar como estava. O progresso, com a espada da dor, dera o sinal de transformação, e isso levaria à morte milhares e milhares de russos e não russos. Como um punhal afiado, o destino, como se fosse Deus, ia escolhendo quem deveria ficar, quem deveria morrer. Uma separação aleatória estava sendo feita, porque justos e perversos eram colhidos pela adversidade e pela morte.

O vagão da desgraça levava consigo o desperdício do mundo, sim, do meu mundo russo. Da minha terra amada. A dor e a morte configuravam-se num homem encurvado que carregava toda a tristeza da Terra, e eu me sentia assim. A visão representava a devastação das criaturas enterradas com um sonho que não vingou. Era a guerra entre irmãos, eu pensava, irmãos de mesmo país. Multidão de seres esquálidos e perdidos invadia todas as regiões que pertenciam à magna Rússia, e eles exibiam chagas terríveis. Alguns estavam cegos, e todos eram estropiados e famintos.

Muitos viviam em lugares infectos e exalavam cheiro de morte. Naqueles depósitos de gente, tanto do povo quanto do campo, era difícil dizer quem respirava, quem dava adeus, quem já partira.

Certa feita, ao passar por uma ponte das tantas que existem em São Petersburgo, vi homens, mulheres e crianças que se abrigavam numa cova do acostamento, assemelhando-se a cadáveres insepultos.

O vagão de gente que não era mais gente, seres que apenas se assemelhavam a humanos, era o retrato da miséria e do desamparo. Suas fraquezas eram sombrias, e na expressão traziam concentrado o desespero e a manifestação da angústia. Eles sabiam que tinham um longo caminho a percorrer, sem volta nem lugar para ficar, e a amargura de uma sentença sem juiz era de condenação.

Aquelas gentes que semearam campos deitavam-se à sombra de árvores e se surpreendiam com os alegres amanheceres do verão; gentes que amaram e procuraram uns e outros para dividir suas camas, suas mesas, seus sorrisos, suas palavras, atrelaram-se aos vagões dos desesperançados, acorrentados à monarquia absoluta presente que lhes cerceava a liberdade de ir e vir pelas estradas, pelos rios e mares da eterna mãe Rússia.

Não podiam sonhar com seus ancestrais, pois a imaginação secara no nascedouro, entravara-se com a política da época, galgando, vacilante, as pistas que davam ao aclive das estradas malcuidadas.

No alto da minha condição estável de rico, saudável e viril, enojava-me das discrepâncias e via entre as pessoas um sentimento de solidariedade. Associei-me a elas, desenvolvendo dentro de mim um desejo de cooperar com todos.

Eu estava em situação privilegiada, todavia, vinha da terra, do campo, e poderia também ser um deles, de esperança perdida, se não fosse a bendita herança que recebera.

Minha cabeça, em momentos de reflexão, incendiava e doía frente às revoluções turbulentas e aos desmandos dos que deveriam conduzir a Rússia.

Os terroristas e os anarquistas dominavam as classes menos favorecidas, fazendo delas bandeira para disseminar o caos em nome de um ideal fanático que nada produzia.

A prática política dessas correntes caracterizava-se, portanto, pelo emprego da violência, por atentados contra o czar e autoridades em geral, mas, a revolução a favor do povo e que trouxesse benefício a todos era inconsistente.

O inverno foi triste e de morte, não obstante, do sangue ruim nascia o sangue bom para novas investidas no campo da vida carnal. Enquanto milhares morriam, milhares floresciam na primavera para recomeçar tudo que havia ficado por terminar ou reconstruir. Era a marcha da vida: enquanto uns desciam, subiam outros. Isto é o que chamamos de fatalidade: nascer, viver, morrer e renascer.

Capítulo 25

Natasha mostra sua face indomável

O grande baile finalmente chegou, depois de tanta expectativa. A alta sociedade de São Petersburgo estava esfuziante com a festa no palácio da família real. Alexandre II aniversariava e ao mesmo tempo festejava os feitos em relação ao povo que o gratificava. À noite, homens de sua guarda estavam a postos, recebendo seus convidados na escadaria do luxuoso palácio. Na entrada, entre duas folhas da porta aberta, talhada em belos arabescos, postava-se o mestre de cerimônias anunciando os convidados e suas patentes, caso fossem militares, ou seus brasões, se nobres. Por ali desfilaram generais, condes, marqueses, barões, príncipes de cabeça erguida, denunciando a soberba com que vaidosamente mantinham seu *status*, entre títulos e brasões.

Alexandre II os recebia com um leve aceno de cabeça, num cumprimento formal, enquanto a orquestra ensaiava, em surdina, um fundo melodioso. O baile dera início com o czar executando a primeira dança, seguido por nobres próximos da família real. De propósito, cheguei mais tarde, após as descrições dos convidados mais ilustres. Quando o salão nobre estava cheio, e os lustres, como centelha de pingentes a iluminar as vestes de bordados brilhantes, davam fulgor aos participantes, aproximei-me do lugar que me fora previamente indicado. Ali fiquei, atento, observando a todos, com suas pompas e arrogância. As quadrilhas aproximavam as famílias, e, juntos, velhos e jovens entretinham-se em principiar o passo certo entre volteios e rodopios próprios da dança. Entre os convivas eu procurava encontrar Yuri com sua família, mas o que me interessava mesmo era Natasha.

A multidão que passeava e os que dançavam no salão dificultavam minha busca; todavia, de olhar perscrutante, caminhava entre eles e, sem me dar conta, esbarrei com o conde Yuri, que, satisfeito, cumprimentou-me com um abraço sincero, convidando-me a reunir-me ao seu clã em seu camarote. Fiquei feliz com a proposta, e de imediato nos encaminhamos para o lugar indicado. Quando lá chegamos, a admiração brilhou em meus olhos. A bela Natasha ali estava, frágil, todavia esbelta, pele deslumbrante de frescor, olhar límpido e penetrante. Um fulgor fugidio transpareceu-lhe nos olhos, incidindo com o brilho dos pingentes de cristais que iluminavam o pomposo salão de festa.

Meu coração disparou, batendo em desarmonia. Aproximei-me beijando a mão da esposa de Yuri e a mão da bela e arisca libélula. Sua imagem era sedutora, dentro de um vestido vaporoso, de gaze em tom turquesa, tal como seus olhos. Os cabelos, cor de trigo maduro, trazia-os envolvidos por uma tiara enfeitada por miúdas flores azuis e brancas de jasmim. A insistência com que a olhava e admirava a perturbou. A esperança de conquistar seu coração consolidava-se mais dentro de mim. Estava decidido a esposá-la. Louco de paixão, disse-lhe:

— Posso ter a honra de participar do seu carnê para ser um dos seus pares em uma contradança, senhorita?

— Claro, por que não? — respondeu delicadamente.

— Reserve então algumas valsas, e isso se não for muita impertinência minha, pois suponho que a senhorita deve ter muitos admiradores que se sentirão felizes em acompanhá-la na dança.

O carnê de baile era um minúsculo caderno de poucas páginas, tinha um tampo de madrepérola e pedras preciosas e uma minilapiseira de ouro pendente num cordão de seda. Nas páginas pautadas, ela graciosamente anotou em cada linha meu nome para a dança das valsas, embora já houvessem muitas linhas comprometidas com o nome de outros dançarinos. As assinaturas indicavam três contradanças, no máximo, ao mesmo par, como ditavam as normas da época.

Nesse meio-tempo aproximaram-se os rapazes que haviam reservado as primeiras danças. Natasha saiu rodopiando nos braços de belos rapazolas que a olhavam extasiados. Sua leveza ao dançar nos braços daqueles jovens me dava uma pontinha de ciúmes. Desejava tirá-la deles e ficar com ela só para mim. Minha face ardia, e os meus olhos denunciavam as minhas emoções.

Nesse ínterim, enquanto duas damas se juntavam à mãe de Natasha, Yuri chamou-me para perto de si para confabularmos sobre negócios e também sobre amenidades. Entretanto, meus pensamentos dividiam-se em ouvi-lo e observar, atento, às danças executadas pela minha desejada. Às vezes ela desaparecia na multidão de pares, valsando Tchaikovsky, Strauss, Mozart entre outras belíssimas melodias, outras vezes ficava em volta do salão e, quando nos via, acenava com o seu leque branco, demonstrando a satisfação em que se encontrava. Quando sentia que o interesse dos jovens ultrapassava o casual, pungente sentimento provocava o meu coração, fazendo-me respirar com dificuldade. Nesse meio-tempo distraía-me, perdendo o fio da conversa com o conde. A ansiedade oscilava dentro de mim, na agonia de ter que rivalizar com garbosos moços. Um pensamento fugidio passou-me pela cabeça, provocando um leve calafrio, de que estaria velho demais para concorrer com tão joviais rapazes. Enfim, eram só pensamentos, bastava desligá-los, e outros povoariam a minha concha mental.

Por fim, chegou a minha vez. Estremeci, enfim a teria em meus braços, sentiria o calor do seu corpo e respiraria o mesmo ar que o seu pulmão expirava.

Perfumes agradáveis exalavam de todo o seu ser.

Iniciamos uma valsa alegre e ligeira, envolvemo-nos na melodia. À minha volta tudo girava junto comigo, os pingentes dos cristais dos lustres transformavam-se em miríades de estrelas a emitir fulgor sobre nós. Não havia tempo ainda para conversarmos. Embora a achasse alegre e solta, vez por outra via seus olhos ensombrarem-se de uma tristeza que tentava disfarçar. Na minha ingenuidade, atribuí essa tristeza ao problema do seu pai falido. Quando percebia seu temor, apertava-lhe o corpinho de encontro ao meu, infundindo confiança e dando-lhe proteção, mas entendi que, ao meu gesto, ela reagia, afastando-se um pouco de mim.

Bem, a música terminara, e ela sugeriu que voltássemos ao grupo. Aceitei e nos encaminhamos para lá. Observei que interiormente me sentia desconfortável, um leve mal-estar me deixou em alerta, alguma coisa não estava bem. Notei que Natasha, apesar de ser gentil, comportava-se com frieza. Ao nos reunirmos ao grupo, ela foi para o lado das amigas, e o conde tornou a me monopolizar. Fiquei novamente dividido, metade de mim concentrava-se num assunto do seu pai, e a outra ficava sintonizando à bela Natasha que, junto às jovens amigas, tornara-se comunicativa e espontânea.

A certa altura, Yuri fez uma pausa nos assuntos pertinentes a negócios e me falou sem rodeios:

— Sasha Dimitri, expus à minha filha o seu desejo de cortejá-la, pois reconhece nela seus altos predicados e tem intenções sérias. A princípio minha filha sobressaltou-se, nunca havia percebido em você o desejo de cortejá-la. Pediu-me tempo para pensar. Não lhe dei nenhuma resposta até agora porque Natasha ainda nada me disse.

Fiquei pensativo, estava ali a resposta, o motivo pelo qual o conde não mais me havia procurado.

O salão regurgitava de gente; as bebidas eram oferecidas por impecáveis garçons que não deixavam nossas taças vazias.

Canapés, caviar e outras iguarias também faziam parte da festa. Enquanto isso, quadrilhas eram conduzidas por jovens. Abstinha-me de dançá-las com a jovem que encantara meu coração. Entretanto, assim que a música se transformava em valsa, eu pedia licença ao seu pai e cobrava dela mais uma participação e a conduzia para o salão.

Quando, no auge de uma valsa, nos deliciávamos com a melodia, disse-lhe à queima-roupa:

— Senhorita, estou esperando sua resposta para cortejá-la oficialmente, e a aguardo com ansiedade.

Senti que algo se rompera no seu mundo. Alguma coisa que conscientemente ela não poderia dizer. Olhou-me com frieza. Passou seus olhos turquesa de alto a baixo sobre mim, examinando-me sem nenhum calor humano. Uma sensação congelante disparou meu coração, essa particularidade me era desconhecida. Havia na sua fisionomia um sentimento que eu jamais supus que pudesse ter. Via-se pela sua fisionomia que pensamentos desencontrados contradiziam-se. E ela, com certa ironia, respondeu:

— Barão, não se preocupe com a pequena fortuna que nos emprestou, a devolveremos centavo por centavo sem que haja entre nós maiores envolvimentos de, digamos, um enlace, por exemplo.

Meu sangue russo voluntarioso revolveu-se nas minhas entranhas quando, estupefato, lhe respondi com desdém:

— Primeiro não sou barão, e sim conde, senhorita. Quanto a cortejá-la, não está no pacote dos negócios com seu pai.

E continuei, ainda ferido, destacando as sílabas:

— Não quero comprá-la, não misturo sentimentos pessoais com finanças.

Ela sentiu minhas palavras como se fossem uma bofetada em seus pensamentos. Via-se que ao mexer com as mãos imaginava cortar meu rosto com as unhas, como faria um gato ou um tigre, e transpirava sentimentos infelizes de ódio e raiva incontidos.

— Senhorita, fiz-lhe apenas uma pergunta e não uma ameaça.

— Ah! — exclamou desdenhosa. — Se é assim... — e, levantando o queixo voluntarioso, me disse um "não" rotundo.

— Por quê? — perguntei. — Sou-lhe antipático, feio ou você dá importância à linhagem? Não sou bom suficiente para um compromisso sério?

— Não, não é isso. Apenas meu coração está comprometido. Amo uma pessoa, e o meu pai por enquanto não sabe de nada. Não que eu o tema, pois sei o quanto meu genitor é compreensivo e tolerante. É a sociedade que me assusta querendo pedir conta das nossas vidas, e ele está em situação econômica bem difícil, eu sei disso, embora ele queira esconder.

— E qual o motivo de ele não saber?

— É que... o homem que eu amo não pertence ao nosso meio. É estrangeiro, e você sabe como são os costumes aqui na Rússia: não se tolera os estrangeiros, com seus costumes e linguajares. Eles são considerados inferiores a nós, a gema do país. Coitados, vivem sob o domínio da nossa política. Ele mora em Praga, na Polônia, e não possui bens materiais, contudo possui de sobra bens morais.

Intimamente enfureci-me. Ela me desprezava pelos bens materiais que possuía e me julgava um objeto, quem sabe me comparando ao outro que, aos seus olhos apaixonados, estava bem além de mim. E falou, mais para si mesma do que para eu ouvi-la:

— Há grandes homens em seus ideais, mesmo que apresentem misérias materiais.

Nesse meio-tempo, a valsa terminou, e novamente nos dirigimos ao grupo. Entretanto, não me separei dela:

— Natasha, dê-me a honra da sua presença, precisamos terminar nosso assunto.

— Mas não era uma simples resposta que queria? Não está satisfeito com a que lhe dei?

— Não, não estou. Quero mais do que deixá-la apenas por um lacônico "não", este não preenche a minha curiosidade.

Natasha ficou aflita, pensou que seria fácil desvencilhar-se de mim. Mal sabia ela que quanto mais difícil a empreitada, mais me esforçava para vencê-la, e esta dizia respeito aos meus sentimentos, à minha vida, e não era com uma simples negativa que ela iria se desfazer de mim. Sua resistência deu-me mais força, mais energia para investir nela, e não lhe seria fácil fugir.

Capítulo 26

Inimigo oculto

Reuni-me a suas amigas, que mal disfarçavam o interesse por mim, certamente pensando nos proventos que adviriam de um relacionamento sério, quiçá matrimonial. Todavia, eu só tinha olhos para Natasha. Estava irremediavelmente apaixonado por ela, isso era evidente, já não poderia esconder de mim mesmo o que todos já haviam percebido.

Meu bom amigo Yuri via com bons olhos a minha aproximação, certo do consentimento da filha.

Naquele momento havia-se desencadeado uma disputa entre nós dois. Se era Natasha ou eu quem iria ganhar, não saberia precisar. No entanto, eu estava integrado por inteiro naquela peleja, e entrava para ganhar.

Quando me vi alvo da cobiça das suas amigas, não me fiz de rogado, deixei-me levar pelo devaneio

das companheiras que povoavam o salão de festa e, para provocar-lhe o interesse, encomendei algumas contradanças com as amigas mais próximas. E como estava em luta, em campo aberto, digamos, no sentimento, não me importei em estar exposto como um troféu a que todas disputavam. O prêmio deveria sair só para uma felizarda. Isso me excitou a vaidade, mas, mesmo assim, não tirava o olho da minha eleita que, vendo-me disputado pelas amigas, teve para comigo um olhar de desdém. Entrevia nos seus sentimentos uma tempestade que rugia na sua alma orgulhosa, pois naquele momento sentia-se preterida. Gostei da atitude dela. O desconhecido que amava possivelmente não havia tomado por inteiro seu coração, parte dele somente, mesmo que fosse pequena, me pertencia, pois, não aguentando a concorrência, reclamou-me a dança que me havia prometido.

Ao girarmos pelo salão entre músicas alegres, melodiosas e românticas, Natasha não sopitou a vontade de me provocar:

— Vejo que o ba... rão, desculpe, o conde, tem entre minhas amigas muitas admiradoras.

— De fato, senhorita, percebi, contudo foi você que eu escolhi para cortejar.

— Ah! — fez ela — atirando os ombros estreitos finamente enfeitados por belos diamantes que circundavam seu colo exposto por um decote primoroso. — Já lhe disse, estou comprometida, estou só esperando passar a má fase nos negócios do meu pai para realizar o meu sonho.

— Eu, Sasha Dimitri, detentor do título da casa dos Koslowsky, lhe digo com todas as letras: eu sou o seu sonho, o outro é ilusório. Se observar o seu devaneio, sou eu que o povoo.

Nossa conversa, porém, ficou incompleta. A música terminara, e, infelizmente, o encontro terminava ali. Famílias mais antigas da nobreza russa, ao saberem que Alexandre II recolhera--se aos seus aposentos, o imitaram, também se retirando da festa que transbordava de gente de todas as idades.

Já era alta madrugada quando me retirei, despedindo-me de todos. Entretanto, não saía vitorioso, ao contrário, tinha em suspenso o meu coração. Tinha pela frente uma boa luta com um inimigo oculto, e este não estava nos meus planos.

Há pessoas infelizes que não cessam em blasfemar contra o destino, e eu era um deles. O destino imposto pela vida ensinava--me a reagir numa espécie de oração às avessas. Não me importava, tinha riqueza que muitos cobiçavam — apenas eu a possuía naquela sociedade arruinada e hipócrita. Mas que desilusão: tinha tudo, menos o amor de Natasha, minha única riqueza, pela qual eu lutava.

Capítulo 27

A partida de Andrei

A mansão onde eu morava no momento, que outrora fora a casa de Wolga, era circundada por um arvoredo, agora coberto de neve na pálida claridade do amanhecer. E, ante a paisagem invernal, o meu ser se entristecia. Havia nela um silêncio profundo, envolvente. Eu observava a mansão de paredes largas, em simetria irrepreensível, com lances elevados falando da sua imponência, vinda dos anos em que pertencera aos antigos donos. Desde a primeira vez que a vira tivera a impressão de assombro e admiração, a despeito do estado precário em que a encontrara.

Naquela manhã estava só e solitário, extremamente saudoso, e acabei me lembrando do meu amigo velho Andrei, resto de um passado sepultado, cheio de recordações que ainda me fascinavam, que havia partido também.

Ficaram-me apenas lembranças, papéis e fortuna, e não me furtei de me lembrar dele.

Como por força das minhas obrigações, ficava mais em Moscou, e só de vez em quando ia à minha mansão. Pobre Andrei. Um fiel servidor que viveu até os setenta anos. Com a fortuna em minhas mãos, contratei grandes médicos para aliviar-lhe as dores reumáticas e suas melancolias. Ele só pensava em morrer e ser por Deus julgado e castigado por seus feitos. Não trabalhava mais, vivia na cadeira de balanço, sempre voltada para a janela, a fim de ver a natureza e os transeuntes passarem na rua. Uma acompanhante lhe dava as refeições, o lavava e o alegrava com suas histórias, lendas da velha Rússia e dos países adjacentes, já que provinha de um deles. Mas sua alegria durava pouco. Andrei ficava num mutismo sem fim, não tomando conhecimento do que se passava ao seu redor. Só se animava mesmo quando eu o via naquelas raras visitas e tomava de sua mão entre as minhas e o ajudava a comer. Ele amava aqueles momentos e se fortalecia.

Numa dessas oportunidades, me aproximei com uma tigela de sopa para servir-lhe, e ele foi dizendo com sua voz fraca:

— Não, barine, não faça isso com seu servo, sempre serei seu criado, mas lamento não poder servi-lo mais. A doença me corroeu, e a velhice toma conta de mim. Não tenho dúvidas: o que eu fiz não tem conserto nem perdão.

— Ah, meu amigo Andrei, sempre pessimista! Será que esse Deus de que você fala tanto vai lhe castigar?

— Sim, meu senhor, os popes são testemunhas de muitas pessoas más que foram parar no inferno, com certeza mandadas para lá por Deus — e levantava as mãos para cima em sinal de contrariedade.

— Pois eu lhe digo que não há inferno, e com certeza Deus deverá ser condescendente com você, que era escravo de corpo e alma da madame, como diz.

Assim Andrei ficou mais sereno, pensando no que eu havia lhe dito. No outro dia foi encontrado desencarnado, em sua cadeira de balanço, com a fisionomia serena de quem estava dormindo. Foi enterrado no mesmo mausoléu da família de Wolga, sob os protestos dos religiosos. Assim terminava a existência daquele espírito que, encarnado, amou duas pessoas, às quais se dedicou: Wolga e eu.

E tive por ele um grande afeto e senti muita saudade.

Voltei meus pensamentos para a festa. Achei que regressaria dela cheio de esperança, mas qual não foi minha grande decepção. Retornava vazio e infeliz, e uma fúria desconhecida tomava meu sangue, tinha vontade de bater, machucar, magoar.

Um instinto assassino, talvez novamente a herança da tia Wolga, revolvia minhas entranhas. Sentimentos contraditórios conflitavam-se em minha mente. Aquela menina mimada me desejava ou não? Sentia-a dividida. Desejava afastar-se de mim, entretanto me cobrara a dança prometida.

Quem seria meu rival? Não! Achei que queria me magoar, pois infelizmente eu ainda levava a pecha de novo rico, comprador de títulos. Porém, o tempo todo que a observei, desde que a conhecera, não me parecera fútil e frívola.

O que estaria se passando que eu não entendia nem apreendia? Fui tão bem tratado por todos da família e com deferência pelo conde. Hum! Devia ser pelo maldito empréstimo. Eles estavam blefando, amaciando-me, afinal era uma dívida bem considerável.

No silêncio reverente da manhã, meus pensamentos aturdidos procuravam achar o porquê de tudo. Já no interior da mansão, sentei-me no salão da entrada, com o olhar fixo no vazio. Deixei a mente escorrer como se fosse uma catarata de águas cristalinas para derreter todo o gelo que o meu ser construía. Era a nevasca da natureza impondo-se à nevasca interior.

A manhã convidava-me ao trabalho do intelecto, da razão, para solucionar tão complicado problema. Meu universo estava à procura de uma confidência, minha mente desistia de penetrar nos intrincados problemas da família Nabokov.

A época de incerteza forçava em minha mente muitos labirintos, questionando tudo e me enlouquecendo de amor e impotência por ver que Natasha escapava das minhas mãos.

Não, não podia perdê-la. Nem que fosse pela força, eu a teria. O destino nos colocara na mesma escala social, e a minha situação era das melhores, não precisava mendigar nada, nem seu amor. Estava em situação de exigir, forçar, e ela nada, nada mesmo, poderia fazer para fugir da minha vontade. Contudo, naquele instante, eu sentia a nostalgia dos tempos simples em que morava no campo, quando todas as moças das redondezas suspiravam por mim, e era por elas desejado. A morte da esperança se fazia invisível, eu me sentia sufocar, os soluços queriam sair da garganta. A realidade era dura: aquela não fora a minha família, nem a minha vida.

Os criados que paulatinamente iam-se movimentando no dia caminhavam com os pés cautelosos, para não profanar meu silêncio, respeitando a minha presença vazia de atitudes, de quem está sem ocupar lugar algum. Meus canais de compreensão e de sensibilidade traumatizavam meus sentimentos.

Brusk, meu criado de quarto, aproximou-se, atencioso, perguntando se eu não desejava ajuda para retirar a roupa de gala a fim de recolher-me para o andar de cima, em cuja lareira o fogo crepitava aquecendo o quarto inteiro.

Os brios feridos e a alma abalada faziam com que meus instintos inferiores se exaltassem, porém, com meus subalternos, agia com extremada tolerância, por isso cativara-os. Era por todos respeitado, e sentimentos generosos partiam deles, envolvendo-me.

Capítulo 28

Estranha doença

Na família de Natasha o quadro era diferente. Retornavam das festividades, exaustos, procurando seus cômodos para descansar. O último a se recolher foi o conde, que ainda se havia servido de um cálice de bebida. Estava pensativo, lembrava que todos os assuntos entabulados comigo não haviam terminado — isso eu soube mais tarde.

A filha não lhe havia dado nenhuma resposta quanto ao meu pedido, e ele, ao ver-me dançar com ela e ser solicitado para dançar com suas amigas, sentiu o peso da minha personalidade e principalmente da minha posição econômica. De certa forma, torcia para que Natasha e eu nos envolvêssemos. Ele compartilharia da nossa felicidade, primeiro porque amava a filha, segundo porque se afeiçoara a mim pelos empréstimos que lhe havia feito sem interesse maior, a não ser ajudá-lo. Seria suprema felicidade se entre mim e Natasha houvesse um verdadeiro envolvimento. Todos seríamos felizes, mesmo naqueles tempos de transição. Foi com esses pensamentos auspiciosos que o conde Yuri se recolheu ao quarto.

O inverno apresentava-se inclemente. Chuvas impertinentes, aliadas a tempestades de granizo com ventos frios, faziam a neve acumular-se em todos os cantos da Rússia.

Doenças oriundas do frio intenso afligiam os habitantes: congestão pulmonar, reumatismo, articulações inflamadas, até paralisias dos membros inferiores.

No outro dia acordei com sensação incomum, sentia falta de ar e meu corpo pesava. Minhas mãos estavam inchadas, meus pés também. Tentei levantar e não consegui, o corpo, em torpor, não me obedecia. Experimentei gritar, e a voz morria na garganta. Conquanto o corpo estivesse sem comando, inchado, meu cérebro estava alerta, o raciocínio desperto criava situações para chamar a atenção de Brusk, que, concentrado nos seus afazeres, nem por um minuto desconfiava da minha situação, absorvido que estava na tarefa de arrumar a bandeja de chá que havia preparado para a primeira refeição da manhã.

Entrevi pelas cortinas pesadas levemente entreabertas que o dia estava nebuloso e escuro. Pela fresta da janela conseguia observar um céu de chumbo. Observei que Brusk, antes de se retirar, atiçara o fogo na lareira para manter o quarto aquecido. Com isso, ao me levantar, teria uma temperatura quente me cercando de conforto.

Fiquei ali, deitado, na mesma posição, por longo tempo, na situação desagradável de não poder me mexer, num incômodo estado físico que se agravava mais com o tempo que escoava. Meu corpo se cobria de suores gélidos, e um frio glacial o percorria por inteiro. Perguntava a mim mesmo se estava acordado ou delirava com a desconfortável situação.

Lá pelas tantas, meu criado de quarto entrou sem fazer qualquer barulho. Ele ficara preocupado pelo adiantado da hora, que fugia dos meus hábitos; apesar das noitadas, levantava-me como sempre à hora de costume. Ao se aproximar de mim e me ver de olhos abertos e rosto inchado, teve um susto. Eu me esforçava para falar, mas não conseguia emitir nenhum som. Ele então exclamou:

— Barine, santo Deus! O que foi que lhe aconteceu? — levantou os cobertores pesados e apalpou meu corpo gelado e molhado.

— Barine, barine, o senhor está se sentindo bem?

Eu, com as narinas inchadas, nada respondia. Ele então foi até o roupeiro, pegou uma muda de roupa e começou a me trocar.

— Barine, não se preocupe, após vesti-lo, vou atrás do doutor Sokolof.

Virou-me de um lado para outro, trocou os lençóis encharcados de suor, deixando-me em estado confortável, atirou alguns pedaços de lenha para ativar o fogo na lareira e retirou-se apressado. Enquanto isso, eu não entendia o porquê de tudo aquilo. Com a mente em febre, pus-me a rememorar toda a minha vida até chegar à noite anterior. Emoções desencontradas visitavam meus sentimentos. Lembrei-me de ter ingerido uma taça de bebida ofertada por Natasha, e uma suspeita maligna passou repentinamente pela minha mente: a de ter sido por ela envenenado. Por Santa Sofia da santa Rússia! A condessinha havia me envenenado!

"Por Deus! Vou morrer!", pensei.

A agitação interior me queimava por dentro: "Sou tão moço!".

Lágrimas visitavam meus olhos e corriam como torrentes atormentadas. Perdi a noção do tempo, talvez houvesse desmaiado. Quando dei por mim, era ajudado pelo médico e por Brusk, que me forçavam a ingerir um líquido verde que anestesiou meu desconforto.

O médico, inquieto, falou-me com firmeza, instigando-me confiança:

— Beba, barine, esse remédio vai aliviar a tensão, e a narina inchada vai relaxar.

De fato, não passaram trinta minutos, e eu senti que a garganta fechada descontraía-se e o inchaço cedia. Já conseguia me mexer, os dedos dos pés perdiam a anestesia, e o corpo inteiro respondia aos estímulos do cérebro.

Virei a cabeça para o lado da poltrona e divisei doutor Sokolof, atento, aguardando o efeito do remédio. Quando me viu mexer com a cabeça, exultou, levantando e aproximando-se:

— Ah! Finalmente — falou, otimista — a febre cedeu, como também os vergões na sua pele. Se não houver complicação, logo estará bem.

Ainda com voz rouca, questionei assustado:

— Doutor, o que houve comigo? Passei parte do dia e a noite sem poder me movimentar nem falar.

Ao que o médico respondeu:

— Você ontem, sem dúvida, alimentou-se com algum crustáceo ao qual é alérgico, pelo menos os sintomas correspondem a isso. Tomara que seja apenas isso, pois os vergões não fazem parte da alergia. Há uma epidemia vinda dos Bálcãs, trazida pelos estrangeiros que aportaram aqui, e nos tem dado muito que fazer. Por enquanto, ficará em observação. Se a febre não ceder e os vergões continuarem, teremos que tomar novas providências. Por ora está medicado e ficará sob observação. Deixei com seu criado as recomendações necessárias para as próximas horas. Preciso ir, outros pacientes me aguardam. — E despediu-se, saindo célere.

Já passavam das cinco horas da tarde quando Brusk retornou com uma bandeja de chá e alguns biscoitos, ordem do médico. Tomei-o com gosto e mastiguei algumas broinhas. Minhas mãos, embora um pouco desinchadas, apresentavam manchas vermelhas de aspecto desagradável. Apesar de não estar ainda disposto, pedi a Brusk que abrisse as cortinas de par em par, queria ainda observar a luz do sol em declínio, no que fui de imediato obedecido.

De meia em meia hora o criado fazia-me tomar um líquido verde, de sabor extremamente amargo. As horas foram se escoando, enquanto o dia desaparecia em monotonia para dar lugar à noite sem estrelas. Da janela, viam-se os postes serem acesos um por um pelos acendedores de lampiões. Como o quadro da minha enfermidade não se complicou, e eu me sentia menos desconfortável, achei por bem não buscar o médico. Sabia-o ocupado com a nova enfermidade, e, certamente, estaria nos palácios ou castelos, dando assistência aos nobres enfermos assustados com a possível epidemia. Fui submetido a um regime, a fim de não mascarar a doença. Brusk insistiu em passar a noite no meu quarto, sentado na mesma poltrona onde se havia sentado o médico. Ficou atento a todas as recomendações, administrando a medicação, tal como fora prescrita. O sono só pela meia-noite dominou-me, não obstante, fora da normalidade.

O corpo esfriou, um formigamento se apresentou, e uma dormência em meus membros inquietava-me. Um vento gelado passou pela minha face quando meus ouvidos ouviram nitidamente um canto gregoriano monótono, entoado por muitas vozes masculinas. Na minha tela mental entrevi um grupo de padres acompanhando um féretro conduzido por homens de preto e capuz cobrindo a cabeça. O mais estranho era que, à frente do sudário, uma bailarina dançava com técnica perfeita o "Quebra Nozes", totalmente alheia ao grupo que acompanhava aquele enterro triste.[36]

    O que se passava comigo? Estava dormindo e ao mesmo tempo acordado. Acompanhei também o féretro apenas com a mente, não possuía corpo, não me via, só os sentidos da visão e audição é que estavam aguçados. Era um triste acompanhamento por entre as sepulturas saturadas de capelas, muitas delas velhas e malcuidadas. Bolor, musgo e mofo se faziam presentes entre as gramas ressequidas e pequenos arbustos. Cães ladravam. Porém, entre aquele séquito lúgubre, meu sentido da visão aproximou-se do caixão mortuário, e eu concentrei meus olhos no cadáver coberto por flores brancas, símbolo da pureza. Observei que se tratava de uma donzela de cabelos pretos, ondulados, emoldurados por tranças da mesma cor. Ao prestar atenção na sua fisionomia gélida e sem vida, observei que trazia no rosto manchas iguais às que eu tinha no corpo. O inusitado, e que me causou surpresa, é que a bailarina vestida de gaze e tule de tom rosa era a mesma do caixão mortuário, apenas sem sua juventude. Acostumado aos fenômenos naquela mansão, onde aprendi a conviver com os fantasmas dos meus pais e de minha tia Wolga, a princípio não entendi e busquei entre aqueles ver mamãe Nadja, meu pai e minha tia; mas eles não estavam ali, e entendi que não estavam me pregando uma peça.

---

36. Saiba mais na *Revista Espírita* de agosto de 1866 — Visões retrospectivas de várias encarnações de um espírito. (N.E.)

Capítulo 29

Visões do passado

Pela primeira vez, meu ser, do qual apenas os sentidos entreviam, apavorou-se. Eram sinistros demais aqueles cavalheiros soturnos e horripilantes e aquela bailarina fora de foco à frente de um esquife dela mesmo. E, a despeito de tudo, ela não me era estranha, meu íntimo pressentia tê-la conhecido. Certa hora, ao fixá-la para ver de onde a conhecia, ela também se concentrou em mim fixamente, de olhar fuzilante, como a querer me destruir. Áspera amargura delineou-se no canto da boca, e sua expressão desenhava-se em ódio profundo, afogueando-me e oprimindo meus sentimentos. De imediato associei-a a Natasha. Sempre dançando nas pontas dos pés, aproximou-se de mim, que não me sentia fisicamente bem e, de visão chamejante, dardejou com acidez:

— Jamais serei sua, jamais. Prefiro a morte, o desterro, o calabouço, a solidão do que a sua companhia.

Nesse ponto, a cena sombria desvaneceu-se da minha tela mental, e eu acordei, com o coração oprimido e em febre alta. Despertei Brusk e pedi que me servisse água, estava com muita sede. O criado levantou-se prestativo, veio até mim e observou que eu queimava de febre. Assustado, olhou os remédios e a seguir serviu-me de outra poção que deveria certamente baixar a temperatura.

— Barine — disse o bom homem —, não será melhor chamar o doutor? Temo pela sua saúde.

Eu olhava tudo, possuído de duplicidade, o presente bipartia-se. Fissuras na minha personalidade davam sensação de liberdade e degredo, isto é, estava livre do casulo carnal, entretanto aprisionado por recordações que realmente não me faziam bem, não me confortavam.

As imagens daquele féretro dantesco não fugiam da minha mente. A donzela que bailava diante do próprio caixão acompanhado por sacerdotes com aspectos sombrios acordava em mim lembranças horripilantes. E eu falava coisas desconexas, talvez sob a pressão das altas temperaturas que me queimavam o corpo. Entre a ingestão da medicação e a entrada do facultativo, as horas correram velozes, não percebidas por mim, que delirava. O médico, ao me examinar, tomou-se de espanto. A doença não havia regredido, e o ambiente estava pesado. Ventos gélidos, incomuns, rodeavam-me o leito, anunciando sinistro futuro. Doutor Sokolof, cristão ortodoxo, de imaginação sensível, prognosticava com pessimismo:

— Por Cristo, a enfermidade não cede, e as manchas estão se transformando em bolhas e fístulas. Que fazer agora? — falava alto ao lado de Brusk, que mexia com as mãos, de modo inquieto:

— Doutor, o que ele tem? É a epidemia do sul? Ela é contagiosa?

— Não sei, nunca vi coisa semelhante, por mais que pense não consigo detectar a causa. Alergia não pode ser, ela não se manifesta assim.

Nesse mesmo instante ouviram-se estalidos no quarto, o espelho da penteadeira estilhaçou, e a ventania em redemoinho jogou os pequenos objetos no chão. E, para completar, gargalhadas sinistras trespassaram as janelas fechadas num agouro de morte próxima.

O médico, de cabelos em pé, agitou-se. Disse com a voz trêmula:

— Aqui tem coisa do outro mundo, precisamos chamar um padre para exorcizar o barine. Esta casa foi por muito tempo habitada por madame Wolga, que se deliciava em manipular sortilégios ensinados por ciganos nômades. Brusk, fique aqui e não se descuide do enfermo, vou atrás de um *pope startsi*[37], que possui autoridade para afastar esses seres do mal.

---

37. Sacerdote russo. (N.E.)

Capítulo 30

Uma dançarina pálida

Enquanto o bom médico se retirava, meu fiel serviçal se empenhava em trocar as compressas com que tentava aliviar-me dos incômodos e baixar a febre. De vez em quando dizia palavras, baixinho, excomungando os seres da outra dimensão, chamando por Jesus Cristo e, de mão na cruz, esconjurando os temíveis seres invisíveis.

Passaram-se mais de três horas quando o médico adentrou o quarto com o sacerdote graduado. Este tomou da *Bíblia Sagrada*, espargiu água-benta por todo o quarto, rezou por muitas horas exaustivamente, de rosário em punho, sem que com isso intimidasse os seres que me envolviam. O fenômeno só cessou quando mamãe Nadja adentrou o meu quarto, escorraçando-os dali.

No entanto, um jarro de porcelana com um ramalhete de rosas rubras ainda molhadas de orvalho foi ao chão, espatifando-se.

Eu, ao dar com aquele sinistro buquê, entrevi, através da minha mente, por entre as pétalas cor de sangue, a dançarina pálida e de fisionomia sinistra a dançar indefinidamente ao som dos cantos gregorianos monótonos entre o badalar de sinos em toque fúnebre movimentados pelos padres, cujo longo capuz não deixava ver seus rostos.

Enquanto a minha mente se deixava levar por todas aquelas imagens sombrias, na dimensão física todos reuniam esforços para minimizar o ambiente denso, numa atmosfera carregada de maus presságios.

As horas passaram lentamente. A noite, longa, expirou. O dia timidamente abria seu leque para deixar passar o sol nascente, que tentava levemente se misturar por entre a natureza pálida do inverno.

Junto com o médico e o sacerdote graduado, alguns homens ficaram em meu quarto para me atender. Mas eles também estavam exaustos, deixando-se dominar pelo sono para refazer o organismo exaurido. Eu também ressonava profundamente, sem sobressaltos. Nadja velava pelo meu descanso. Ao lado do corpo doente, em espírito separado do corpo, aderido a ele por apenas um cordão prateado,[38] também eu descansava.

Já passava das nove horas quando se ouviu o movimento cadente dos serviçais para a lida do dia a dia. Brusk, ao ver que no quarto todos ainda dormiam, levantou, observou a serenidade do meu semblante e retirou-se para dar algumas ordens. Sem fazer

---

38. Cordão prateado ou cordão fluídico é o elo fundamental que liga o corpo físico ao perispírito. (N.E.)

barulho, desceu a escadaria em caracol de mármore, encontrando os empregados à sua espera para desenvolver a programação do dia, que não era pequena. Todos respeitosamente perguntavam pelo patrão, ao que ele respondia de maneira mais otimista, vendo que a doença pelo menos havia estacionado e a febre diminuíra.

Naquele mesmo instante um cheiro acre, avinagrado, muito forte, vindo do andar de cima, quase sufocava os empregados, deixando-os com sensação nauseante, tonteando-os. A uma ordem do mordomo Trowisk, foram abertas de par em par todas as janelas do andar térreo, para liberar o cheiro desagradável.

Brusk subiu novamente os degraus para o meu aposento. Quando abriu a porta, o odor denso e em forma de nuvem que saía das flores vermelhas quase o derrubou, seguindo na direção das janelas que por si mesmas se abriram.

— Pela Santa Rússia! Mas o que, afinal, está se passando nesta casa? Será obra demoníaca, mesmo?

As flores, que antes estavam viçosas e orvalhadas, jaziam murchas e crestadas[39]; o vaso, rachado, e as pétalas que dele despencavam estavam praticamente torradas.

Eu convulsionava, e, pela boca, uma espuma pegajosa escorria até o lençol alvo que me cobria. Presto, o bom homem abriu em toda a extensão as demais janelas do meu amplo quarto, deixando o ar da manhã entrar, modificando a atmosfera pestilenta. A lufada de ar puro fez-me acordar. O choque da mudança de ar despertou a todos, que reclamaram da atitude do empregado. Este, entretanto, relatou-lhes o sucedido, e, incrédulos, tentavam entender o que havia acontecido.

---

39. Energia deletéria que, pela ação negativa das entidades que ali se encontravam, transformou o ambiente, afetando objetos orgânicos e alterando coisas. (N.E.)

Eu passava bem, as manchas tinham diminuído, e as feridas estavam quase secas. Estava mais desinchado, e finalmente a febre cedera. Todavia, tanto o médico quanto o padre amigo, antes de irem embora, insistiram para que eu mandasse buscar mamãe Olga. Era de bom alvitre que ficasse aos seus cuidados, porque, na realidade, minha doença ainda não havia sido detectada, e o seguro era que eu estivesse sob assistência permanente de pessoa da família.

Capítulo 31

Visões aterradoras

Brusk desceu novamente, conversou com o mordomo e, de imediato, preparou duas bandejas fumegantes com iguarias frescas que foram levadas por dois empregados, uma para mim e outra para meus auxiliares. Eu, ainda fraco, mas em convalescença, não tinha fome, a tontura ainda não me havia abandonado, mas, pela insistência, forcei-me a tomar o caldo reconfortante, seguido por pães e alguns doces suaves, como compotas de frutas.

Os homens que me cuidavam comeram com apetite elogiando as iguarias, o aroma e o sabor de tudo que provavam. Estavam satisfeitos com a minha boa forma, a despeito de não estar ainda bem lúcido, mas, de qualquer modo, havia algum progresso que satisfazia o doutor e o próprio padre.

A partir daquele momento, as feridas foram secando e fechando radicalmente, mas eu fui perdendo a audição. Tomei conhecimento disso quando, após alguns dias, chegava mamãe Olga, afogueada, vestida à moda camponesa, botas de cano comprido, vestido longo de lã e coberta por um casaco de astracã[40] com capuz que cobria suas tranças louras. Seus dedos estavam gelados, e as bochechas, vermelhas, resultado do intenso frio.

Segundo Brusk me contou depois, o alvoroço fora grande no andar térreo. Todos querendo atendê-la, pegando sua bagagem, retirando o casaco pesado e convidando-a a se aproximar do fogo da lareira que crepitava. Todavia, mamãe Olga, que estava aflita, só queria me ver, descansaria só depois de tomar conhecimento do meu estado. Subiu a escadaria para o primeiro piso com certo ruído, falando alto — costume camponês — e chamando por mim.

Contudo, eu não a ouvi, estava deitado com altos travesseiros atrás das costas, e meus pensamentos voavam para estar junto com Natasha. Quando a vi entrar, de braços abertos, lágrimas nos olhos e muitas exclamações que meus ouvidos não conseguiam detectar, fiquei confuso.

Ao vê-la, meu coração se abriu em uma vertente de lágrimas. E também em voz alta, quase gritando, clamei: "Matushka, matushka, minha adorável mãezinha, que falta senti da senhora".

Entretanto, ao pronunciar essas palavras, um silêncio sepulcral me envolveu. Mamãe Olga chorava e secava as lágrimas com alvo lenço de tecido rústico com uma das mãos e com a outra apalpava o meu rosto com um olhar aflito.

O fenômeno da surdez total durou alguns minutos, pois nem a minha voz eu ouvia. Passei os dedos das mãos nos dois ouvidos

---

40. Tecido encaracolado, feito com pelo de cordeiro. (N.E.)

tentando desentupi-los, mas foi em vão, a surdez permanecia. O medo tomou conta de mim e, ao abraçá-la fortemente contra meu peito, por trás dela, por meio da minha vidência, num espaço tridimensional que eu não compreendia, enxerguei a projeção de um cemitério com lápides sujas, velhas, de reboco caído, tomadas pelas ervas daninhas. Quando os meus olhos se fixaram na musguenta e embolorada lápide, ela começou a se tingir de sangue, em espiral, como se alguém estivesse esguichando em círculo o túmulo estufado, e de lá saíam carantonhas deformadas e ensanguentadas de pessoas mortas. Eram muitas cabeças: crianças, jovens, mulheres e homens velhos, todos horrendos, com alguma parte da fisionomia destruída. Observando tudo isso, não aguentei, a pressão era demais, afastei minha mãe, dei um urro descomunal e desmaiei.

Capítulo 32

Recuperando-se

O sol já se pusera na Santa Rússia. A noite escura, com seu séquito de minúsculas lamparinas iluminando a abobada celeste, dominava a natureza. Sapos coaxavam, algumas corujas piavam de vez em vez. O frio era muito intenso. Acordei, o quarto estava fracamente iluminado, e ouvia vozes muito baixas, quase inaudíveis.

Apesar de não abrir os olhos, estava desperto, embora ainda atordoado. Senti que alguém segurava com carinho uma das minhas mãos, e mão grossa e grande passava pela minha testa, refrigerando a inquietação de que me sentia possuído. Sem ânimo, deixei-me ficar por um bom tempo assim. A respiração já não estava ofegante, e parecia que a serenidade tornava a habitar o meu ser.

Aos poucos, fui lembrando do que se havia passado. Não evitei as lágrimas, que escorriam dos meus olhos ainda fechados, quando ouvi a doce e forte voz daquela que havia me criado desde o meu nascimento a falar palavras de encorajamento:

— Aguenta, meu filho, eu estou aqui e não te abandonarei. Tenho rezado à Santa Sofia para aplacar a tua dor e fazer a tua saúde voltar. A partir de agora, não estás sozinho, velarei por ti na doença e na saúde, na alegria e na tristeza, e só retornarei aos Urais quando tudo voltar à normalidade.

Com estas palavras de fortaleza e bom ânimo, sentindo-me amparado, abri os olhos e dei com a fisionomia bonachona da minha mãe, que me dera um amor verdadeiro e carinho. Seus olhos azuis estavam brilhantes e magnéticos, e sua voz firme me induzia à coragem e ao refazimento. Nada falei. Cerrei as vistas, sentindo-me confortável e amparado, e novamente adormeci.

Os fenômenos extrassensoriais não mais aconteceram. Tive uma lenta recuperação, e os dias pareciam monótonos e rotineiros. Contudo, meu ânimo melhorava sob os cuidados de mãe Olga.

Mais tarde soube que ela havia encomendado orações para o mais conceituado dos *startsi* dos nobres, que passou vários dias rezando com os demais padres pela minha saúde.

Um mês se passou, e já era do conhecimento de toda a nobreza que eu estava acometido por uma enfermidade desconhecida e grave, e que minha mãe fora chamada para dar-me maiores cuidados.

O pai de Natasha, que chegara de Varsóvia, ao tomar conhecimento da minha doença mandou um criado com um cartão escrito pela sua própria mão, desejando minhas melhoras e solicitando licença para me ver.

Mamãe Olga, desacostumada às regras e protocolos, pediu o auxílio do médico e do pope, que não arredavam o pé da minha cabeceira. Foram incansáveis no atendimento. Ela se desincumbiu de todos os compromissos com galhardia, ora recebendo as cartas dos amigos e conhecidos com os auspícios de boa saúde, ora flores com desejos de bom presságio, além de muitas receitas caseiras de pessoas que me estimavam.

De tudo que recebi, nenhum bilhete da mulher que povoava meus sonhos, que, aliás, segundo seu pai, continuava no castelo de Varsóvia para esperar o inverno acabar.

Mamãe Olga emagrecera, não só pelo trabalho que exercia na minha residência, mas pelo temor de algo pior me acontecer. Diga-se de passagem, o próprio doutor que me atendia estava exercendo a medicina no escuro, no que dizia respeito à minha doença, não compreendendo a razão do meu estado, pois haviam sido profundamente abaladas minhas estruturas orgânica e psíquica.

À medida que convalescia, ia respondendo às interrogações de minha mãe, como também falando dos meus sentimentos. Comentei sobre o conde, do auxílio que lhe prestara e também do louco amor que sentia por sua filha. Mamãe me ouvia, discreta, assentindo com a cabeça quando era o caso. Ficou surpresa quando tomou conhecimento da real história de Nadja, dos crimes que envolveram Wolga, do meu nascimento com outro gêmeo, da morte da minha tia e de tudo que soubera pelo guardião e empregado de confiança da minha tia, de sua morte e do legado enorme que me deixara.

Mamãe, mulher de rígidos princípios, acostumada a lidar com a verdade e dela fazer a sua vida, teve enormes sobressaltos. Nunca supusera que São Petersburgo e a nata da nobreza vivessem com tanta falsidade e desonra.

O tempo foi passando, e a primavera tímida se introduzindo por entre a neve que ainda restava. A natureza, estuante de vida, vinha à tona. As árvores tomaram outro aspecto, substituindo o manto branco que as cobria; os jardins se animavam em florescência, gramas dantes crestadas tornaram-se verdejantes e robustas.

As geleiras dos rios se diluíram com o sol que ultrapassava as atmosferas ainda densas do ar frio e mergulhavam nas águas, aquecendo-as e liquefazendo-as.

São Petersburgo, cidade projetada, construída e administrada por Pedro, o Grande, no século 18, foi erguida sobre quarenta ilhas e conta com centenas de pontes, fontes, estátuas e palacetes feitos, a maioria, à maneira francesa. É uma cidade sombria, segundo meu conterrâneo Dostoievski, mas gloriosa e também maligna. Eu sorvi inteiramente seu veneno ilusório e letal, mas foi nela que mergulhei nas profundezas da alma russa. Mas, na verdade, há nesta cidade rios e canais de percurso romântico, podendo-se observar a sua pitoresca arquitetura — a Veneza do Norte. Pedro, o Grande, resgatou do mar esta cidade bela e estranha. Ao criar uma cidade nova num país de cossacos, *mujiks* de espíritos incivilizados, embrutecidos uns, com influência asiática dos mongóis, o czar deu-lhe uma nova alma, uma vida europeia, o que custou a vida de centenas de russos. Mas o que isso importava a um czar que menosprezava a plebe inculta, afeita a trabalhos rijos e que no final do dia só se preocupava em beber e, à noite, aguentar a ressaca à beira do fogão ou roncando nas suas camas rústicas, dormindo sem sonhos, sem expectativas a não ser a de viver a dura lida para sobreviver às estações, morrer e nada mais?

A natureza é caprichosa e não se importa com o que os homens pensam, por isso o anoitecer nesta cidade é surpreendente na primavera. O céu muda de cinza para um belo azul. É tão emocionante repensar esse tempo que me dou o direito de falar nele mais uma vez. É lembrança cativante e generosa.

Entretanto, somente no contato com a generosidade e pureza daquela prussiana é que fui me fortificando, meu organismo tomando cor e vitalidade, talvez ressurgindo junto com a primavera.

Certo dia, acordei cedo e bem disposto. Após o desjejum, antes de Olga levantar, sentei no banco do piano e dedilhei modinhas que minha mãe Nadja tocava quando cheguei à mansão. Eram notas simples, que aprendi com muita facilidade em razão da minha familiaridade com a música.

Mamãe Olga, que acabara de se levantar e ainda estava trançando sua cabeleira cor de trigo, estranhou. Nunca havia ouvido música na nossa casa no campo. Desceu, ainda de camisola, com parte do cabelo trançado e a outra por fazer, pé ante pé. Quando deu comigo, absorvido, exclamou:

— Por Cristo! Onde aprendeste a tocar? Também esta é outra novidade que esqueceste de me contar?

Girei o banquinho forrado de fofa almofada e, ao vê-la, dei uma gostosa gargalhada:

— Isto não é nada, o mais interessante é de quem aprendi foi Nadja, mesmo depois de morta.

— Cruzes! Estás impregnado por energias maléficas, seguramente não te veio ainda o juízo normal, estás sob efeito de encantamento. A riqueza e o luxo fizeram-te mal à cabeça. Quem morre não volta, e Deus nos destina conforme vivemos aqui, foi isso que aprendi na santa Igreja. Meu filho, tenho te ouvido e me assombrado com tudo que me narraste. Agora, aprender piano com uma morta foge totalmente ao meu entendimento. Acho melhor ter uma conversa com nossos sacerdotes, para colocar juízo nesta tua cabecinha.

— Mamãe, a primeira vez que adentrei esta mansão e subi para ver a minha tia Wolga foi quando se deu o meu encontro com a música, o piano e meus pais. De lá para cá, sempre que posso, eu os vejo, e eles me contam seus sofrimentos e suas mágoas. São iguais a nós. Quando tia Wolga morreu, papai e mamãe, que não a haviam perdoado, fizeram-na sofrer muitos castigos, e alguns eu até presenciei enquanto dormia. Pude interceder por ela, que foi boa para comigo e com Andrei, seu fiel guardião e... amante. Desculpe não lhe ter relatado isso naquela nossa primeira conversa.

— Meu filho, não pronuncies na minha frente estes desatinos. Não quero mais ser informada sobre as atitudes de Wolga; ela deve estar pagando pelos seus pecados, porque a justiça de Deus não falha. Deus nos livre da sua ira.

Eu, intimamente, sorria da beatice dela, porém respeitei seu ponto de vista. Há muito deixara de ser religioso na acepção da palavra. Conhecia a intimidade dos ortodoxos, que de santos não tinham nada, eram seres humanos tanto quanto eu, cheios de defeitos: mentiam, perseguiam, insuflavam o povo a ser obediente a patrões poderosos e déspotas, incutindo neles subserviência, muitos, poltrões e bêbados contumazes. Calei-me e continuei dedilhando o piano. Mamãe Olga aquietou-se, terminou a outra trança sem olhá-la, subiu novamente a escada, dirigindo-se ao seu cômodo para terminar de se vestir e descer para o café.

Quando retornou para o desjejum, disse-me com estupefação:

— Sasha Dimitri, nunca passei por experiências tão cheias de sortilégios. Esta casa deve ser benzida muitas vezes pelo santo *startsi*. Sinto cheiro de chifres por entre as paredes. Precisamos substituir este ar carregado de magia negra por atmosfera onde exale a doutrina de Jesus. E se essas almas existem, em sofrimento, façamos uma missa para elas serem purificadas.

Uma atmosfera carregada e saturada de sangue pesava muitas vezes no ambiente da casa que fora de Wolga, talvez ainda ressentida dos crimes por ela perpetrados. Olga, sensível, percebia no ar os resquícios de uma vida promíscua e criminosa, por isso a recomendação que ela fazia de limpar o ambiente. Entretanto, eu não me incomodava nem sintonizava com aquela atmosfera de abjeções perpetuadas pela minha malvada tia. Quem sabe fora mais lunática com suas crises por ter sido preterida por sua irmã Nadja, a quem invejava, enlouquecendo de ciúmes por se sentir ultrajada pela irmã de dotes superiores em tudo.

Capítulo 33

Conselhos de mãe

Nos primeiros dias da primavera, São Petersburgo via-se envolvida por muitos ventos que atingiam as casas, castelos e pradarias. O vento uivava pelos cantos das propriedades, chorava como viúva na falta do seu amado.

A natureza acumpliciava-se com os seres humanos, as pessoas ficavam mais sensíveis e irritadas, pois tudo na Rússia é descomunal, e, como ela, nós éramos também. É difícil ter uma boa noção do tempo por aqui, pois o dia parece que não termina, não escurece, a não ser depois das onze horas da noite.

Por ter-me enfurnado por muito tempo na minha mansão por conta do mal que passei e com predições não muito boas, amanheci num desses ruins dias ventosos com vontade de sair e respirar o ar que dançava por entre as árvores e mexia com as

portas das casas, ululando por entre os beirais. Queria sentir o frescor da primavera batendo no meu rosto, suscitando-me imagens, atingindo meus instintos por ora adormecidos.

Vesti uma roupa mais leve, fui até as cocheiras, mandei atrelar uma caleça com um cavalo fogoso, e eu mesmo saí a dirigi-la, sentindo o vento bater na minha face como o sussurro de uma mão cariciosa afagando-me o desejo de ser amado e de ter um afeto, mesmo que não fosse legítimo.

Não, não, naquela minha ânsia, despertava minha natureza quente. O toque da ventania mexia com todo o meu ser. Andei por muitos lugares a toda velocidade. O corcel sintonizava comigo, pois aceitava minhas sugestões pelo toque da rédea com que o conduzia. Célere, me levava por lugares que nunca havia explorado, éramos tão rápidos que eu tinha a sensação de estar no ar. A paisagem que se estendia pelas cercanias da cidade era soberba, não obstante o charco que envolvia a metrópole toda com suas múltiplas pontes e pântanos. A emoção por muito tempo contida abria-se com a força da própria natureza, e eu, inflamado por ela, mais me ativava para possuir a mulher que povoava minha imaginação.

Desci muitas vezes da pequena carruagem e respirei a plenos pulmões o ar aromático daquela curta e nobre estação. Após rodar por algumas horas, voltei para meu refúgio — meu belo lar. Lá ainda se encontrava minha forte e saudável Olga.

A mesa estava posta, ela me aguardara para almoçar. Seus olhos fortes e brilhantes tentaram perceber o que havia por dentro de mim. Sentamos e fomos servidos por Georgina, uma serviçal encomendada por minha mãe.

Comemos com vontade aquela refeição que lembrava muito a comida campesina: abóbora assada junto com carne, moranga com açúcar queimado, e uma bebida deliciosa para acompanhar os alimentos.

Eu estava introspectivo, sentia-me solitário, queria uma esposa e muitos filhos para alegrar aquela enorme mansão que, embora reformada, tinha lá seus segredos em lugares inexplorados.

Mamãe Olga, que possuía a psicologia da maternidade, de vez em quando me passava os olhos, movendo a cabeça, como se estivesse com algum plano, até que a interroguei:

— Por que me olha assim e meneia a cabeça em sinal de reprovação?

— Por nada, comamos em paz. Assim que passarmos para a outra sala, poderemos conversar.

Fiquei apreensivo, não podia imaginar o que se passava por aquela cabecinha experiente e sagaz.

Acabamos a refeição e de imediato fomos para o outro cômodo, onde nos serviram um chá que nos auxiliaria a ter uma boa digestão.

— Mamãe — falei —, o que tem em mente para me dizer?

Aguardei a resposta, enquanto ela sorvia seu chá. Olhando-me bem firme, perguntou:

— Sasha Dimitri, como estás te sentindo de saúde neste momento?

— Bem — respondi. — Graças aos seus cuidados.

— Acho que agora já estou em condições de partir. Viajarei descansada, porque já reconquistaste a saúde.

Afligi-me. Voltaria a habitar solitariamente aquele enorme prédio. Porém já pressentira que ela retornaria para os Urais. Mas, sem me dar por contente, tornei a interrogá-la:

— Mas... mamãe, já? É isso mesmo que quer, ir embora, me abandonar à sorte?

— Deixa de fazer manha, meu filho, estás grandinho demais para carregar-te ao colo. Estás bem e apto a voltar aos negócios, o que, aliás, é muito bom. O trabalho nos dignifica. Se concentrarmos nossas forças honestas nele, sem magoar ninguém, estamos sendo abençoados pelo nosso Pai maior. Tenho muito que fazer lá em casa, teu pai deve estar em apuros, seguramente não deve se alimentar bem sem meus temperos. Aqui parece que tudo está correndo bem. Logo, minha missão está terminada. Isso não quer dizer que estejas abandonado, sabes que não, o meu coração estará sempre contigo. O que te falta mesmo é uma esposa. Porém, meu filho, para que te magoar com quem não te quer? Deixa de lado quem não te ama. Se forçares um sentimento que não é real, sincero, sofrerás, porque o amor não tem dono, nem cadeias. Se o aprisionarmos, acabaremos perdendo-o de vez. Por que será que quando somos jovens e donos das nossas energias corremos atrás de ilusões, que, como a fumaça, se esvaem no ar? Amor não se mendiga, nem se exige, se recebe e se dá. São forças que se conjugam e se fortalecem quando os envolvidos se alimentam num mesmo diapasão. Se tentares subjugar Natasha aos teus sentimentos, irás perdê-la. O que importa não é a presença do ser amado, mas os sentimentos que o mesmo nos dá. Amei o teu pai desde a primeira vez que nos encontramos. E ele sentiu o mesmo por mim. Sei, meu filho, que a vida é muitas vezes injusta com o homem e nem sempre quem amamos nos quer. Tu és um belo rapaz, com muitos predicados, e duvido que não haja muitas jovens que te queiram para casar. Continuas, como antes, arredio e pretensioso. Olha, quem muito escolhe acaba ficando só. Se Natasha gosta de outro, deixa-a traçar o caminho dela e não te negues o direito de ser feliz com outra. Ah! Este orgulho que vocês, homens, têm, de nos dominar, um dia, tenho certeza, vai terminar, como estão acabando as classes privilegiadas, ociosas e anticristãs.

Capítulo 34

Ventos novos

Ouvindo em silêncio as palavras profundas e criteriosas de mamãe Olga, eu refletia. Como ela, mulher do campo, sem nenhuma instrução, poderia conhecer tão lúcidos conceitos da nova filosofia de vida que dirigia os rebeldes e os homens de grande saber? De onde tirava ela aquelas palavras de não resignação? Eram outros tempos, os meus tempos de homem em pleno vigor, e era preciso coragem para começar qualquer coisa naqueles dias de profundas mudanças.

O inconformismo a que ela me instigava, por um lado, era de mudança. Vontade de construir e corrigir, de reformular e não ficar batendo no que não ressoava positivamente para mim. As demonstrações de afeto, segundo ela, deveriam ter reciprocidade, o que não era o meu caso. Ah, mas se eu acertasse o

ponto vulnerável daquela bela mulher? Eu gostaria de domar seus ímpetos, seu caráter. Tinha em mim toda a força, toda a energia, quem sabe dos meus ancestrais. Era um direito que eu não me podia negar. Talvez o que me incitara a conquistá-la fosse justamente sua rebeldia, mesmo ela sabendo do meu posto, da minha fortuna e do auxílio que prestara ao seu velho pai derrotado.

Mamãe Olga tentava me ensinar a agir com critério, bom senso, para não me machucar. Mas quem quer bom senso em assuntos de amor? Eu terminantemente não estava propenso a me render a ele.

Conhecia as mulheres, desde as mais recatadas às mais mundanas. Elas nunca me haviam feito sentir e sofrer o que eu sentia por Natasha. Esses sentimentos eram novos para mim, e havia neles prazer e dor, alegria e tristeza, felicidade...

Enquanto mamãe me olhava interrogativamente, respondi que iria pensar no que me havia dito. Falei mais para tranquilizá-la do que por outra coisa qualquer, porque meu coração não sentia isso.

Depois daquele dia, mamãe Olga preparou a sua bagagem e partiu com muitas lágrimas e recomendações a mim e aos que me serviam.

A partir de então mergulhei nos negócios, viajei às minhas distantes propriedades, negociei as colheitas: o centeio, o trigo, o milho. Contei rublos que deixei nas mãos dos especuladores e vi que, cada vez mais, eu enriquecia.

A pequena fortuna que emprestara ao conde não fizera o menor abalo ao que eu ainda tinha.

Depois que todos viram que eu estava saudável e cada vez mais rico, voltaram a me bajular por meio de inúmeros convites para festas, caçadas, eventos, tentando me envolver na vida ociosa e sem objetivo da decadente e frustrante nobreza russa.

Com meus estudos e aprofundamento em ciências e filosofias, como também nas artes, fiquei algum tempo afastado dos meus sentimentos desgovernados por Natasha. Aprendi a gostar principalmente da arte, da pintura, da música, da dança clássica e da literatura. Não perdia nunca um bom concerto nem um bom balé. A Rússia era provedora de espetáculos formidáveis, nunca imitados pelos outros países da Europa, e eu me orgulhava de ser um russo. Os espetáculos moldavam meu caráter e me davam melhor visão da vida, a despeito dos contrastes que existiam, miséria de um lado e luxo de outro, levantes e pequenas guerrilhas.

O campo estava se organizando, e o povo também, cansado de ser escravo de homens corruptos. A própria Igreja já não possuía todo o seu poderio, à sua sombra muitos crimes foram perpetrados na Rússia, que nesses últimos tempos estava se arrastando e se encaminhando para ser um país sem crença. Marx e Lênin estavam sendo adubados pelo sangue dos inocentes, vertido entre os rebeldes quando aprisionados. O czar determinava a extinção de toda a família deles, não importando se houvesse jovens e crianças.

Por saberem os revolucionários que, embora aparentemente fora aceito pela nobreza e pela família real, tinha antes sido um camponês, intimamente simpatizavam comigo, por isso eu tinha penetração no meio deles, e os ajudava com altas quantias.

Nesta época, São Petersburgo começava a perder a sua soberania para Moscou, que crescia a olhos vistos, possuindo no tráfego o mais moderno transporte: o trem, a mais alta novidade na Rússia. Fui um dos primeiros a experimentá-lo, e de imediato gostei do novo empreendimento. A Rússia estava mudando, e o povo, buscando o seu lugar ao sol. Entretanto, sentia-se a massa descontente que se inspirava no Manifesto Comunista de Engels[41] e Marx para assumir o governo. Assim a guerra não tardaria e era inevitável. De minha parte, não me intimidava, mas não a instigava. Ajudava propositalmente os rebeldes com o objetivo de eles não serem autuados em flagrante e mortos pelo governo. Todavia, compreendia que a fome ou o estômago vazio dos pequenos infantes faria seus pais optarem pela revolta ao verem seus filhos morrerem à míngua.

---

41. Engels, autor, ao lado de Marx, do Manifesto Comunista e da teoria socialista. (N.E.)

Capítulo 35

Enfrentando as entidades das trevas

Assim como o inverno, com suas catástrofes, era violento, o verão, seu oponente, não fugia à regra. Esta era uma estação causticante, de calor insuportável e cheias imprevisíveis. Os rios inchavam e tomavam as margens, os campos e as cidades ribeirinhas, fazendo estrago de monta. Nesse período eu não parava em São Petersburgo, saindo a visitar minhas propriedades e fiscalizando os danos. As altas temperaturas propiciavam epidemias que se alastravam, dizimando as populações. Perdi incalculáveis plantios e tive de arcar com trabalhadores doentes. Houve muitas baixas, os menos agraciados morriam, apesar do meu interesse em auxiliá-los com remédios e médicos.

Pessoas mais chegadas ao meu convívio alertaram-me para o perigo do contágio, eu poderia ser um deles se me envolvesse com os enfermos. Não me importava, não tinha família propriamente dita, não possuía filhos, logo, não havia herdeiros, então para que a preocupação? Morrer seria, quem sabe, até um alívio. Não era apegado a bens materiais, também não acreditava em nada, nem nos infernos tão propagados pela Igreja. Sabia, sim, que, de alguma forma, sobreviveria. A prova disso estava na presença dos que haviam morrido e entravam em comunicação comigo.

De uma coisa estava certo: se tivesse inimigos, lá estariam, do outro lado, me aguardando para me supliciar, como fizeram com tia Wolga.

Bem, morrer ninguém morre. Quanto ao Céu, nunca havia falado com anjos e querubins. A morte era somente do corpo, que era consumido pelos vermes. Agora, o que animava o corpo, a alma, o espírito, a essência, seja lá o que fosse, era indestrutível. Como funcionava não saberia dizer, mas o que era fatal era a imortalidade. Quando chegasse minha hora, aceitaria e assumiria minha outra existência.

Nas noites quentes meu corpo ardia, cobrava-me suas ânsias, e eu amargava a duras penas a solidão e o desamor. A partir daí, comecei a frequentar bordéis e a me absorver neles.

Em uma dessas noites, liberto do corpo físico, em espírito, fui novamente visitado pela lúgubre bailarina, seu séquito e seu caixão, de uma forma bem visível.

Quando isso aconteceu, entre velas bruxuleantes, com a escuridão da noite lhe dando abrigo, meu corpo gelou-se, suores gélidos caíram em gotas na minha cama. Mas desta vez, apesar do medo e da atmosfera pesada, quase irrespirável, não fugi, não desmaiei, nem pedi auxílio. Estava para o que desse e viesse e os enfrentei:

— Venham, venham, vocês não mais me causam medo. Apenas quero que digam o que desejam e por que me atormentam. Esta casa me pertence, e eu não acredito nos seus cantores nem no badalar fúnebre dos seus sinos. Não temo a morte e, pelo que eu sei, nunca lhes fiz mal.

O vento que se fazia no ambiente, a despeito do calor, era frio e arrepiante, levantava os enfeites do quarto, movia a mesinha das refeições frugais e arrastava os móveis, enquanto eu gritava:

— Não, não, agora não os temo mais. Vamos conversar, porque é dialogando que nos entenderemos.

E foi com esse destemor que os enfrentei, com isso tirei deles todos os ímpetos de violência que usavam para investir contra mim. O pavor que se apoderava de mim foi paulatinamente desaparecendo.

Foi então que vi outra imagem: uma capela enfeitada por muitas flores, povoada por muita gente. O altar, todo iluminado e ornamentado por rosas brancas; na parte de cima, em um órgão, alguém executava a marcha nupcial. Pela porta aberta entrava uma linda mulher toda vestida de branco, acompanhada de um senhor em traje militar. Seu véu era longo a perder de vista, e ela trazia o rosto coberto por uma fina e transparente musselina. À sua frente, muitas meninas de roupas longas e douradas, tendo na mão um cestinho, de onde espalhavam centenas de pétalas coloridas. Enquanto o órgão tocava acompanhado por muitas vozes, a noiva vagarosamente se aproximava do altar, onde um *startsi* idoso, de longas barbas brancas, usando uma batina roxa, talvez especial para a ocasião, esperava para casá-la.

Quando ela alcançou seu objetivo e entregou a mão para alguém, eu vi um homem alto, magro, de cabelos negros e fisionomia muito fechada que, a contragosto, a auxiliou a vencer os degraus do altar.

Ao fixar naquela imagem, me senti lá, genioso e impotente. Percebi que era eu que estava encarcerado naquele indivíduo carrancudo. No momento em que acabava de auxiliá-la, um bando de indivíduos malvestidos e mal-encarados entrou pelas laterais da igreja e me rendeu, levando-me à força, aos empurrões, até um carroção onde alguém já me esperava. Era uma grande quadrilha, aproximadamente com cinquenta homens de aspecto duvidoso. Saíram, levando-me às correrias. Após andarmos alguns quilômetros, eles se embrenharam por uma floresta, onde uma carruagem de viagem já nos esperava. Desci da grande carroça, mudei de roupa tranquilamente, paguei-os regiamente e segui viagem com alguém que não consegui divisar.

Entretanto, no mesmo momento, minha atenção era voltada para a igreja que estava em alvoroço e a noiva, desmaiada. Quando concentrei minha visão na fisionomia dela, dei com a mesma bailarina do caixão. "Mas, céus! O que havia em tudo isto: eu, Natasha e a bailarina sombria?".

Capítulo 36

Revelações da bailarina

De repente, me vi de volta ao quarto, mas não no meu corpo, estava fora dele e, com espanto, vi ao pé da minha cama a mesma mulher, debulhada em lágrimas. Meu coração afligiu-se. Alguma coisa nela lembrava-me Natasha. Quando firmei meus olhos, ou meu psiquismo, vi que Natasha e a bailarina eram uma só pessoa. "Pela Santa Rússia, estou a enlouquecer! Agora me vejo fora do meu corpo e estas duas pessoas numa só. Seguramente estou perdendo o juízo".

Neste exato momento, a mulher, mais definida, falava não com a boca, mas em pensamentos, e com palavras bem audíveis:[42]

---

42. Saiba mais em *O Livro dos Espíritos* (São Paulo, Petit), questão 282. (N.E.)

— Sasha Dimitri, vim aqui para que me devolva a liberdade. Enquanto sobre mim existirem os sortilégios que impôs, eu não me sentirei livre. Continuo ainda sendo sua prisioneira.

— Santo Cristo! — vociferei. — Quando, como, onde eu a aprisionei? Quem é quem? Vocês são duas ou uma mesma pessoa? Se você está viva e é Natasha, quem é a outra?

— Nesta vida sou Natasha; na outra, fui Larissa. Sou uma só pessoa, contudo seu sortilégio me acompanha até hoje e me mantém encarcerada no passado. Com isso, sou infeliz. Desse jeito não posso amá-lo, sou sua escrava, e serva só obedece.

No mesmo instante em que ela pronunciou a palavra escravidão, lembrei-me de mamãe Olga, que falou sobre amor e liberdade. Vagava em torno da bailarina, que não me instigava nenhum sentimento, e a personalidade de Natasha, a quem amava com loucura.

— Mas que sortilégio lhe joguei para você se sentir encarcerada?

— Foram muitos, mas o que sei é que a minha essência, de certa forma, está ligada à sua. Toda vez que tento dormir e descansar, volto para este emaranhado de recordações e termino me encontrando neste cemitério infecto, entre os despojos desta outra pessoa que eu imagino ser eu mesma. Aí, eu me recordo de dolorosos momentos que passei e o fiz passar. Pela manhã levanto-me cansada e assustada, temo pela minha sanidade mental. Por favor, livre-me deste compromisso, desta tortura. O que passou, passou, e novas oportunidades servem para refazer caminhos e conquistar novos aprendizados.

Quando firmei os olhos entre as duas personalidades quase refundidas, tive um ímpeto de revolta, ódio, raiva, e sem sentir bradei:

— Nunca, nunca a libertarei, será para sempre minha escrava e estará, queira ou não, sempre nesta campa. Para você o meu ódio: que ele sele sua vida com seu próprio sangue. Não a perdoo nem nunca perdoarei.

Com essas palavras, embriaguei-me de uma doce vingança que saía das minhas entranhas. Um misto de ódio pela bailarina se confundia com a paixão que Natasha despertava em mim.

Acordei no outro dia, com o sol já incandescente. Meu corpo doía, levantei-me cansado e um pouco desanimado. O banho matinal, que tinha o poder de me pôr esperto, naquele dia não surtiu efeito. Estremeci, pensei que estava acometido da praga que infestava o povo russo. Olhei o meu corpo e observei se ele trazia sinais de brotoejas ou algo que indicasse a epidemia, mas graças a Deus não tinha nada, a pele estava saudável. Acho que estava apático. Fiz a barba, vesti roupas leves e parti para os meus interesses mais urgentes. Passei o dia todo ocupado, minha mente não havia registrado nada da noite anterior. Porém, estava desolado sem um motivo plausível, e atribuí o fato ao dia tórrido.

As chuvas tinham cessado, e o calor era intenso. À tardinha, retornei. Brusk trouxe-me um bom refresco e tirou os meus sapatos, preparou-me um bom banho, enquanto, sentado no meu gabinete, ainda revisava as anotações entre venda e compra que havia tratado com os estrangeiros. Quando fechei um pouco os olhos para descansar em uma rápida cochilada, foi com surpresa que recordei a noite que vivera, todos aqueles fenômenos. E desconheci o meu gesto de fúria e incompreensão, certamente estava confundindo as coisas: a bailarina era uma "alma penada", enquanto Natasha era a mulher que eu amava.

Respirava naquele momento a poeira dos séculos, o encontro das vidas pretéritas, e os erros e as paixões incontidas perturbavam a vida de hoje. Entendi que aquilo não era mais do que sombras do meu psiquismo, desequilibrado pelas emoções não atendidas. Um amor não correspondido é um ferro em brasa a nos dilacerar a carne, não nos dando trégua. É pior que uma doença física, pois esta, com o tempo, ou nos cura ou, pela morte, nos liberta. Conquanto o repúdio do objeto amado, mais acelerado fica a nossa ânsia de conquista e, em muitos momentos, instiga nosso pior lado. A parte sombria, instintiva, deseja vencer a qualquer custo, até da própria vida.

Quando a noite entrou, finalmente a atmosfera refrescou, e uma aragem agradável perpassava pelos cômodos em que as janelas altas se deixavam inundar, pois elas permaneciam abertas para refrigerar o ambiente.

Numa bandeja de prata jazia minha correspondência. Dentre muitos papéis, havia convites para bailes, serestas e espetáculos. Fui selecionando-os um por um conforme as urgências, quando dei com um singelo convite do conde Yuri Nabokov, solicitando meu comparecimento para no outro dia acompanhá-lo na refeição do meio da tarde. Estava saudoso da minha presença. Fiquei lisonjeado, sabia que seu afeto era legítimo. Embora o tivesse socorrido nos piores momentos, suas remessas aos meus contadores eram rigorosamente atendidas, de acordo com o nosso trato. O conde era um homem honesto e de rígidos princípios, que ele executava à risca.

Animei-me. Era mais uma oportunidade para rever Natasha. Quanto ao pedido de casamento, continuava sem resposta. Isso significava que havia esperança para mim. Naquela noite dormi de ânimo renovado. Tinha para o dia seguinte boas expectativas e, quem sabe, a realização do meu projeto mais especial. Com tantas mulheres aos meus pés, que fariam qualquer coisa pelos meus carinhos e pelo meu afeto — qualquer coisa, mesmo —, eu passava por elas indiferente, porque seria fácil conquistá-las: eram volúveis, atiradas, sem valor, dignidade, sem brio, sem orgulho. Mesmo que fossem pobres, teriam de ter as raízes do nosso país, isto é: imponência, soberba, amor-próprio, condições indispensáveis para angariar meu afeto. Eu me propusera a conquistar a gema da Rússia. Ela podia até ser agreste, mas difícil de se entregar. O meu sangue trazia a rustidez deste país tão incompreendido e tão vasto, com sua multiplicidade de clima, vegetação e geografia. Com a mesma forma que amávamos também odiávamos, resquício de uma raça ainda rústica.

Capítulo 37

Novo encontro com Natasha

De manhã cedo já estava em pé, banho tomado, barba feita, roupa apropriada para o verão, aguardando a hora para demandar à casa do conde. Enquanto isso, dei as ordens aos meus serviçais e, em seguida, junto com o jardineiro, fiscalizei as obras em torno de novas árvores, mudas de flores trazidas da França e da Índia para ornamentar a frente da casa, dando-lhe uma nova aparência.

O dia estava majestoso, embora o calor prometesse ser grande, porém eu suava mais de nervosismo do que por causa do clima. Para que a paisagem que ornamentava o meu solar não fosse crestada pelo Sol, ordenei que todas as manhãs, antes do dia esquentar, fossem molhadas todas as gramas verdes e as flores. Para isso, mandei construir um sistema de irrigação, de alvenaria, onde passava a água, para dar conta de

tudo. Era uma inovação que trouxera do Egito quando lá estivera a negócios.

Fiquei assim absorvido nas novas tarefas, quando fui advertido da hora pelo meu lacaio, que conduziria a caleça ao solar dos Nabokov. Com isso, ainda tomei outras providências e parti, com o coração opresso, na expectativa de encontrar a minha querida, que povoava meus sonhos mais íntimos, e pior, mais misteriosos!

Quando lá cheguei, desci da carruagem, e o meu condutor levou-a pelas cocheiras indicadas pelos serviçais da mansão. Fui logo recebido pelo dono da casa, que tratava, no momento, dos últimos preparativos. Observei que havia uma certa agitação de pessoas que iam e vinham, bem característico de festa. Mesmo assim, fui tratado com deferência. Yuri conduziu-me fraternalmente, com o braço sobre os meus ombros, falando sobre o contentamento de ver-me ali na sua casa. Intimamente, não me sentia à vontade, porque pensara que o encontro seria íntimo e familiar, mas deparava-me com um grupo considerável de pessoas.

Não me contendo, indaguei sobre os convidados, ao que ele me respondeu que era um almoço para os mais íntimos, pois se tratava da comemoração do seu segundo casamento. Ele lembrava com tristeza do seu primeiro enlace e do quanto amara sua primeira mulher e se punia por não estar presente quando ela dera à luz o seu filho que morrera ao nascer.

Senti naquele momento um calafrio que me intimidava e agia sobre todo o meu ser, ao ver aquele homem ludibriado no passado, a lamentar um filho que não fora seu. No entanto, eu estava tão perto dele, e era um dos gêmeos que mamãe Nadja concebera.

Nesse mesmo instante senti a presença do grupo que me era tão conhecido. A tristeza do conde e seu silencioso pranto também me afligiram, solidarizando-me com sua dor.

Mamãe Nadja passava sua mão suave sobre as têmporas encanecidas do seu antigo esposo, tentando aliviar as dolorosas reminiscências que ainda o atormentavam, fazendo-o acalmar-se.

Yuri, pensativo, me dizia em sussurro:

— Não sei como explicar isso, todavia sinto que a morte de Nadja está envolvida por um mistério, parece que algo me foi escondido. Temo que Wolga, que nos tinha muita inveja, tenha feito alguma coisa em prejuízo da minha mulher, pois seus pais fugiram de mim como se tivessem algo a me esconder. Não os vi mais, embora tentasse contato com eles para saber mais daquele dia fatídico. Mas entre eles estava sempre, como obstáculo, a pessoa de Wolga, venenosa e cruel, com meias palavras, sentidos dúbios, reticenciosos, que eu não conseguia apreender. Ela impedia meu caminho em direção aos meus sogros. Bem, caro amigo, morreram todos sem deixar pistas para entender aquela noite fatídica, deixando-me sem respostas aos questionamentos que não partilharam comigo, logo eu, o mais interessado em elucidar a morte da minha mulher. Passou tanto tempo, e eu não soube fazer feliz minha mulher, no meu segundo casamento, que é um desastre. Sou atacado pelos vermes da depressão, doença que segundo alguns facultativos não tem cura, porque, dizem eles, é a alma que está enferma.

Neste ínterim fomos interrompidos por alguns empregados sobre a disposição dos convidados à mesa, isto é, quem ficava ao lado de quem e em frente de quem. Fiquei pensativo com todas aquelas revelações que me aturdiam e me constrangiam. Eu tinha a chave de todo o segredo que ele queria saber, desvendar. No entanto, contar tudo seria manchar a imagem da minha mãe, que neste momento abraçava-me e me sussurrava: *"Não, filho, ainda não é a hora propícia."*

Percebi que Nadja trazia a fisionomia carregada de sombria tristeza, e no seu olhar soturno pesava o remorso quando ela disse:

— *Eu não tive culpa, não se manda no coração, já pertencia ao seu pai quando me obrigaram a casar com ele.*

Após dar as últimas ordens, o conde me convidou para passar à sala de refeições, conduzindo-me à mesa. Qual não foi a minha surpresa quando me vi ao lado de Natasha, que estava deslumbrante, com um vestido branco, longo, decotado na frente e nas costas, todo bordado por milhares de miçangas e pingentes, salientando seus dotes físicos. Seus olhos refletiam sua força jovem; sua tez rosada e aveludada falava da sua beleza ímpar.

Inclinei-me antes de sentar-me ao seu lado, ao que ela também acenou, inclinando suavemente a cabeça. Nesse instante, veio-me à mente aquela aparição funesta da bailarina triste que me pedia, suplicante, que a absolvesse de um antigo sortilégio, quando o meu orgulho foi mais forte, e eu pronunciara um sonoro "não". E balbuciei, com inflexão autoritária na voz:

— Não, não dou permissão.

Natasha levou um susto, pois não havia pronunciado nada para receber uma negativa tão categórica, e foi logo dizendo:

— Não o que, barine? O que mesmo você disse?

Seus olhos brilharam com intensidade, e fagulhas dardejavam deles. A imagem eclipsou-se, e eu fiquei atônito, dei-me conta de que falara alto e não pensara apenas.

Permaneci emudecido, sem saber o que dizer, nenhuma ideia me socorria no momento, quando fui salvo por uma sineta que anunciava que o anfitrião iria falar.

Fiz-me de desentendido e coloquei-me ereto no meu lugar, com a atenção voltada para o meu amigo. Este pronunciou algumas palavras de boas-vindas, relatou algumas reminiscências de sua vida de casado, enalteceu os dotes da sua querida filha e da esposa, por fim fez um agradecimento a Deus, convidando-nos ao banquete que nos era servido por pressurosos serviçais.

Pensei que havia me livrado do embaraço, mas foi em vão, Natasha voltou a me alfinetar.

— Como é, conde, não me respondeu, o que foi mesmo que disse ao se aproximar da mesa?

Eu não me acovardei, e, para encerrar aquela conversa sem propósito, disse que não tinha nada a ver com ela, que estava dando sinal para o outro lado da mesa, a uma senhora que insistia em me contar frivolidades da corte.

— Ah, isso não me convence, mas vou fazer de conta que acreditei, para não ser mal-educada, mas você me deve uma resposta sincera.

Olhei-a com desdém, e meu olhar penetrante trespassou-lhe o âmago. Aquela mulher tinha a faculdade de me tirar do sério. Eu tremia de raiva e também de paixão. Ela não me temia, ao contrário, enfrentava-me, talvez fosse essa força que fazia me apaixonar cada vez mais por ela. Natasha era voluntariosa e sabia o que queria, a despeito de aparentar uma fisionomia dócil.

Peguei sua mão levemente — estávamos muito próximos — e a beijei. Estremeci ao contato da sua pele, e ela ficou rígida, um frio glacial acabava de me tocar. Seu corpo, sem que ninguém se apercebesse, movimentava-se para frente e para trás, como eletrizada ou sonambulizada. Um grito imperceptível aos demais se fez ouvir apenas entre nós dois, e ela cuspiu-me palavras de azedume.

— Nunca mais faça isso, não lhe dou direito a essa ousadia, eu não permitirei, pertenço a outro e é com ele que vou me casar — falou silabicamente.

— Não importa — redargui —, eu espero que ele morra para me casar com você.

— Não, nem morta. Tenho-lhe respeito, nunca amor. Esqueça-me, barine, esqueça-me.

Enquanto a orquestra afinava uma ária legitimamente russa e os talheres faziam barulho cadenciado, os convivas que faziam parte daquele banquete não desconfiavam que estávamos em pleno campo de batalha. Nossos olhos se cruzavam, chispas de ódio e raiva nos trespassavam. Mal tocáramos na refeição, os pratos iam e vinham com apenas algumas garfadas. Mantínhamos o tom da educação, todavia nossos pensamentos desencontravam-se: enquanto os meus iam em direção dos dela, com paixão desenfreada, os dela atravessavam-me com ressentimento, avinagrava-se em azedume, cuspindo acidez mental.

"Meu Deus!", pensei, "afinal o que estou fazendo da minha vida? Estou ficando ressequido e com amargor na boca. Sinto-me nesse instante inferiorizado e desprezado. Por Cristo! Será que mereço toda essa agressão?"

Embora ela ficasse altiva e voluntariosa, com fria reserva, eu me retraí, melancólico, com autopiedade. Pensamentos criminosos ululavam na minha mente, do tipo: "se ela não for minha, não será de ninguém, vou matá-la com as minhas próprias mãos".

Quando caí em mim, estava projetando assassiná-la. Um suor frio corria pelo meu corpo, deixando-me desconfortável. Uma sensação desagradável tomou conta do meu ser, eu estava igual à tia Wolga, que conseguia as coisas, se não por bem, quase sempre por mal. Para afugentar tão lúgubres pensamentos, entornei por várias vezes as taças de bronze de *kvass*[43]. Afogava assim,

---

43. Bebida russa fermentada, feita de centeio e lúpulo. (N.E.)

na bebida, a mágoa e o desprezo de que era alvo justamente por quem amava.

Após o almoço, os homens foram para outra sala, enquanto as damas passavam para os quartos reservados à sesta. Sentei-me ao lado de um velho militar que me contou suas proezas na guerra, suas glórias, e se ufanava das medalhas que adquirira no campo de batalha, entre outras tantas honrarias que eu quase não ouvia, pois estava concentrado nas palavras amargas que ouvira da minha pretendente.

O conde, que estava fazendo as honras da casa, veio ao meu encontro, sentou-se do meu lado e me perguntou se tudo estava bem. Foi aí que eu aproveitei para interrogá-lo sobre a resposta ao meu pedido de casamento. Meus joelhos tremiam, mas eu conseguia disfarçar dobrando as pernas e o fixando com sinceridade. Yuri surpreendeu-se com meu irrefletido questionamento, já que, na época, era de bom-tom aguardar a resposta falada ou escrita dos pais da pretendida com o consentimento ou a negativa.

O amigo, pego de surpresa, estranhou, mas não me negou uma resposta franca.

— A propósito — falou —, esse assunto já foi levado à minha filha, que me pediu um tempo para refletir, mas me adiantou que, se realmente eu quisesse esse casamento, ela me obedeceria. Com isso, me deixou à vontade para resolver, mas você sabe dos meus sentimentos quanto a enlaces sem o consentimento da pessoa em questão. Não é da minha filosofia fazer do casamento uma negociata. Por isso não lhe ter levado nenhuma resposta, aguardando que minha filha, na convivência com você, conhecendo-o como eu o conheço, venha espontaneamente a aceitar o seu pedido. Você está com pressa para se casar, Sasha Dimitri?

— Não necessariamente.

Mas, na minha mente, eu pensava: o que eu queria mesmo era que ele a forçasse a casar comigo, fosse sob que pretexto fosse. Passei a mão na testa para afastar os maus pensamentos, dei uma desculpa qualquer e fui até a toalete. Fiquei por um bom tempo entre outros convivas, molhei o cabelo, lavei o rosto e sentei-me por ali. Conversei com conhecidos, só saindo de lá quando quase todos tinham se dirigido a um grande salão de festas, para mais um encontro.

A conversa, como sempre, era sobre as dificuldades da corte, os levantes do povo e dos camponeses, os revezes do czar e as dificuldades com a economia da Rússia. Aguardei mais um pouco, vi Natasha pelos saguões com as amigas e ignorei-a propositalmente, embora ela tenha muitas vezes me observado. A seguir, despedi-me do dono da casa, embora ele repetisse que ainda era cedo e que tínhamos muito que conversar. Não me deixei influenciar, dei algumas desculpas sobre assuntos a serem resolvidos na minha mansão e tratei de ir embora. Meu bom amigo, vendo-me de ânimo arriado, pediu-me para eu aguardar, e em seguida veio acompanhado de Natasha. Esta, por sua vez, transparecia um mau humor que tentava dissimular.

— Minha filha — disse, encarando-a —, torno a te perguntar diante do teu pretendente: estás disposta a aceitar o pedido de casamento de Sasha Dimitri?

Natasha, dissimulando a raiva, o desconsolo, abaixou a cabeça em sinal de obediência, e falou baixinho:

— Se o meu pai faz questão, eu me caso com o barine, mas lhe asseguro que não é do meu gosto.

— Não, minha querida — falou Yuri —, eu já havia combinado com ele que só daria a permissão se fosse do seu agrado. Então? — interrogou o conde, olhando para os dois, indeciso, quando Natasha interrompeu-o e disse, para contemporizar:

— Desculpe-me, falei sem pensar, peço mais tempo ao senhor Sasha Dimitri. Ele não me é totalmente indiferente, mas quero resolver um assunto que só a mim diz respeito. Depois de resolvido, lhe darei uma resposta final.

Eu, que já a conhecia mais do que seu pai, sabia o quanto ela estava blefando para não magoar o conde, que seguramente a amava muito. Vi nos seus olhos orgulho e destemor. Ela estava jogando. Os "ases" estavam nas suas mãos, e ela estava apostando para não perder.

"Deixa estar", pensei, "vamos ver quem, nessa jogada, vai sair vencedor. Você virá ajoelhar-se aos meus pés e rogar o meu amor, que estará encerrado para você, espera e verá." Mandei-lhe a mensagem telepática, e ela entendeu, levantou o queixo orgulhoso e pediu licença para se retirar. O conde, para se justificar, virou-se para mim:

— Veja, meu amigo, eu nada estou lhe escondendo, com isso estou provando o que lhe havia lhe dito antes. Aliás, desconfio de que Natasha o ama, só que ainda não sabe, por isso lhe peço mais tempo, ela se dará conta de que é você que ela quer.

Neste diálogo, fui apenas espectador, ouvi em silêncio, em nada interferindo; ora olhava para Yuri, ora para Natasha, mas quedei-me em mutismo, aguardando o epílogo. Quando a dona do nariz empinado se afastou, farfalhando seu vestido branco, pedi licença ao meu anfitrião e parti.

Capítulo 38

Assédio nas sombras

Na volta à minha mansão, trazia maus presságios no coração. Meu íntimo estava envolvido por nuvens escuras, e os meus sentimentos eram trevosos: raiva, desprezo e mágoa tomaram conta das minhas emoções.

No seu lusco-fusco, o entardecer estava um esplendor, nuvens coloridas se estendiam no horizonte. Uma brisa cariciosa trespassava pela abertura da caleça, e meu corpo doía pelos momentos de tensão. Sentia-me desconfortável, submerso em pensamentos funestos. Depois de a carruagem andar por estradas sinuosas com verdes pradarias, algumas queimadas pelo sol, a perder de vista, mandei o cocheiro parar, desci e andei os últimos quarteirões a pé, para me refrescar. A brisa que batia na minha face

e no corpo refrigerava-me o organismo combalido pelas últimas emoções vividas.

Cheguei no meu destino, ainda exasperado, com raiva e desespero que quase me roubavam a faculdade de pensar. Meu corpo todo vibrava com intensidade na atmosfera penumbrosa. A noite chegara sem que meu íntimo dilacerado se refrigerasse, estava perigosamente à mercê dos maus fluidos que a minha própria mente produzia.

Uma quantidade de pensamentos desencontrados tomava conta do meu ser, meu instinto pedia desforra, iria à luta sem escapatória. Eu a teria sob o meu domínio. De um modo ou de outro, ela me pertenceria. Não sabia como fazê-lo, mas certamente o faria, disso eu estava certo.

Tarde da noite, Brusk, sempre prestativo, me ofereceu uma frugal refeição, que de imediato recusei. Subi para o meu quarto, sentei na cadeira de balanço que pertencera à minha tia Wolga e lá fiquei, na quietude da noite, ouvindo apenas os meus pensamentos e sentindo as feridas que sangravam nas minhas mais caras emoções. O meu orgulho estava ferido porque fora tripudiado. Desta forma atraía para o meu derredor apenas vultos escuros, entidades perdidas, ao sabor do ódio e da vingança. Via-as de relance e sentia suas baixas vibrações, porém naquele instante estava à deriva, extremamente magoado. Nada importava, a não ser a forma com que fora tratado, ou seja, maltratado, justamente pela pessoa a quem amava. Novamente veio o eterno recalque de ser camponês, discriminado pela alta classe social, não obstante pertencer a ela, por direito, já que era filho de Nadja, de sangue nobre, da mais alta aristocracia da Rússia. Mas, enfim, o complexo de inferioridade estava ali instalado, armando-me uma cilada, ajudado por aquelas entidades sem luz que volitavam sobre mim.

Acabei dormindo e, em espírito, me afastei do meu corpo, deparando com aquelas figuras abismais. Fortalecido com o baixo astral deles, odiei, odiei muito! Juntei-me a eles, locupletando-me com toda aquela corja, e, formando uma única falange do mal, demandamos para a casa de Natasha, adentrando em seu quarto qual uma alcateia de lobos famintos, procurando desesperadamente alguma presa.

O ambiente estava iluminado por uma suave luz que se desprendia de dois castiçais de prata, perto da sua cama. Ela estava deitada e dormia placidamente o sono da juventude irresponsável. Seus cabelos dourados se esparramavam sobre seus alvos ombros, e ela ressonava. Do seu lado, um pouco mais distante, em outra cama, dormia também sua camareira, que, por ironia, fora colocada ali justamente para proteger Natasha. Em espírito, ela estava escondida em um canto mais escuro do quarto, como esperando por alguém. Quando nos viu adentrar no quarto, veio como um raio e abraçou efusivamente Karl Ruslavna, um dos andarilhos que "andava" conosco. Conhecedor dos mecanismos do mundo dos espíritos, sabia muito bem como manipular as energias.

Aproximou-se de mim e falou com sua voz cavernosa:

— Esta é o meu grande "amor", ela é uma poderosa médium de efeitos físicos. Quando está acordada, fornece boa matéria animal, que usamos para mover as coisas materiais. Quer ver?

Para se exibir, fez um movimento teatral e derrubou uma xícara no chão, se orgulhando da proeza.

Não estava nada interessado no seu exibicionismo, mas entendi de imediato o que ele estava me explicando sobre a doação daquela matéria ectoplasmática esbranquiçada que saía do nariz, boca e ouvidos da camareira.[44] Apoderando-me daquela energia, robusteci-me, agigantei-me, enlouquecido de paixão.

Vendo Natasha dormindo, sem remorso pelo que me havia dito, enfureci-me mais ainda, e, auxiliado pelo grupo sombrio, e com fúria, pus-me a jogar no chão todos os enfeites da sua bela cômoda dourada ornamentada por um lindo espelho. A corja, ao ver-me desesperar, numa sanha louca, atirou outros objetos, que, com estrondo, pipocaram no chão. As velas se apagaram, o breu tomou conta do quarto. Natasha acordou com todo aquele reboliço e, no escuro, se pôs a gritar, aterrorizada, pois em um relance entre o sono e o despertar completo, vislumbrou a cena horrível com aquelas sombras fantasmagóricas agitadas dentro do seu quarto.

A loucura que me embriagava afrouxou-se ao vê-la desamparada, trêmula e assustada. Apiedei-me e expulsei dali aqueles saltimbancos do astral, que só tinham interesse nas fraquezas dos outros. Sentei-me no chão e deixei que as lágrimas corressem abundantes pela minha face.

Foi quando ouvi a voz carinhosa da minha mãe a me falar:

— *Meu filho, não é por esse caminho que irás conquistar o coração desta moça. Se a amas legitimamente, não te imponhas a ela, deixa que esse sentimento venha a brotar no interior dessa menina e, se ela não te amar, esquece-a, se não sofrerás as dores do inferno, que eu conheço muito bem.*

Criados vieram ao encontro de Natasha com candelabros acesos e ficaram estarrecidos com o desespero da menina e a camareira feito estátua olhando-a assustadíssima.

---

44. Saiba mais em *O Livro dos Médiuns* (São Paulo, Petit), Capítulo 4 — Teoria das manifestações físicas. (N.E.)

Natasha, fora de si, gritava desesperadamente, enquanto eu, confuso, balançava entre a loucura e a razão. Não obstante todo aquele drama, a noite seguiu na sua tranquilidade, e retornei para meu corpo violentamente, tremendo, assustado, exausto e extremamente infeliz.

Capítulo 39

Reformando a mansão

Passado um bom tempo do episódio macabro na casa dos Nabokov, iniciei outra reforma e construção de área nova na mansão que escolhi como residência fixa. Assim tinha que me ocupar com projetos, plantas e ainda descobrir e explorar lugares que não conhecia, tal a amplidão do edifício que me coubera como herança, deixados de lado por ser o lugar mais lúgubre da vila. Eram tantos que muitas vezes me perdia entre eles e precisava de mapas para me guiar. Havia canais secos e profundos mais para o interior da área; rodeando a construção, muralhas de pedras, defendendo o leste e o norte da construção, pelos fundos. Basicamente tinha duas entradas, além dos inúmeros calabouços onde os operários acharam muitas ossadas humanas quase expostas. Dado o difícil alcance, tal eram os escaninhos para acesso nesses interiores em que o sol jamais penetrou. Só as tochas iluminavam os fantasmagóricos espaços onde silhuetas grotescas se apresentavam nas paredes descascadas.

Assim o tempo foi passando e acalmando a minha ira, o meu rancor. Entretanto, a paixão que nutria por Natasha não arrefecera, estava ali, dia após dia, ferindo meu amor-próprio, pulsando como uma doença que não tem cura. Tem-se de morrer com ela, porque não há remédio que a trate ou a elimine.

Certamente eu não era homem de desistir facilmente, não estava no meu sangue abandonar qualquer causa, muito menos a que dizia respeito ao meu coração. Poderia perder alguns embates, mas não a guerra. Esta estava longe de acabar, pois eu era um Koslowsky, herdeiro de guerreiros ilustres que morreram gloriosamente para defender a Santa Rússia dos conquistadores.

Mas, enfim, a construção estava terminada. Trouxera da França arquitetos e paisagistas para embelezá-la com móveis e arranjos à moda da época, porque recursos não me faltavam, nem bom gosto: o sangue nobre não me falhara. Assim que concluí tudo, convoquei alguns nobres conhecidos, que me deviam favores, para programar um grande evento que tivesse uma repercussão sem medida, auxiliando-me nos preparativos, na escolha da confecção dos convites e na escolha dos convidados. Desse modo, em retribuição ao convite do conde e a outras festividades, após um tempo, abri os salões da ala nova, reconstruída com requinte e bom gosto, aos moldes da aristocracia que se fazia presente: três salões amplamente destacados e preparados para receber mais de mil convidados do mais alto galardão, como os graduados militares, além de nobres de próximo parentesco dos czares. Todos compareceram na inauguração de mais de mil metros de áreas totalmente remodeladas e algumas reconstruídas: ouro, prata, cristais, tapetes persas, madeiras nobres e tecidos finos ornamentavam e enfeitavam a construção, com fontes distribuídas pelos jardins de entrada ou nas estufas para encontros ou descanso do burburinho da festa.

Na festa havia aproximadamente cem auxiliares, entre serviçais devidamente treinados, espalhados desde os salões aos três jardins de boa proporção que se comunicavam com as entradas para as áreas festivas, obsequiando os convivas com finas bebidas e iguarias vindas do estrangeiro.

Vesti-me como um príncipe. Do alto da escadaria do primeiro salão, junto com alguns aristocratas e suas esposas, pois todos me deviam favores, aguardava os convidados. Como eu, todos estavam impecáveis, e a etiqueta era exercida à risca, tanto como as convenções.

Os czares gentilmente recusaram o convite alegando enfermidade, mas enviaram altos representantes, presenteando-me com uma fina peça de cristal, de rara beleza, para enfeitar o palácio.

Todos — embora a inveja natural neste mundo de relatividade, quando alguém vem de baixo e vence — fizeram-se presentes, porque a fortuna daquele camponês, como me denominavam, consumia-lhes os haveres de propriedades que não sabiam administrar e manter. Vendiam por qualquer preço, para assim ostentar o que não tinham mais. Eu apenas adquiria. Tinha condição para isso e também para me vingar de suas arrogâncias. Apenas me toleravam pelos bens que eu possuía, mas me detestavam. A família Nabokov também compareceu. Yuri abraçou-me com efusividade, sua esposa cumprimentou-me à moda russa, enquanto Natasha, com altivez, me fez um aceno, dando-me a mimosa mão para beijar. Seus olhos de um verde-porcelana estavam brilhantes, felizes... e misteriosos. O que ela estava fazendo fugia-me ao entendimento, todavia o momento não era para divagações. Com a chegada deles, a festa estava completa.

Capítulo 40

A resistência de Natasha continua

Como anfitrião, precisava não só recebê-los, mas passear pelos salões, conversando com uns, acenando a outros, me fazendo presente e atento a todos. Tentei mostrar-me fino e elegante, revelando a eles que não havia mais nada do antigo camponês. Meus gestos eram polidos e bem cuidados, segundo as convenções da época. Fazia mesura às damas, com delicadeza, e conversava com os cavalheiros de igual para igual.

A Orquestra Filarmônica de Berlim fora contratada, cento e vinte componentes faziam parte, entre solista, barítonos e uma soprano. Os convidados se deliciaram com valsas, polcas, mazurcas e quadrilhas. Havia as horas apropriadas de apresentações especiais de cultura e arte. Poetas de reconhecido talento foram convidados para apresentar suas obras que enalteciam o amor e o dever à pátria.

Depois dos poetas, a parte mais aguardada, conforme o programa distribuído, seria uma Companhia de Balé que apresentaria, em um palco previamente preparado, o espetáculo "A morte do cisne", coroando as apresentações, dignas de um império que cultiva a cultura e a arte na sua mais alta expressão.

Estávamos, Natasha e eu, em lugares distanciados. Petrificados, não perdíamos um só movimento da dança, e, sem que percebêssemos, nossos olhos, num movimento autônomo, encontraram-se naquela multidão de expectadores. Sentimentos esquisitos remexeram nossas emoções.

"Não", dizia eu, mentalmente, de onde me encontrava, "jamais a libertarei, você me pertence, ou ainda não sabe?"

Natasha ouvia-me perceptivelmente, como se estivesse ao meu lado. Um rubor tomou-lhe o rosto, e um ódio irrespirável absorveu-a, olhando-me com orgulho e mentalmente respondendo na mesma intensidade — amor e ódio têm essas peculiaridades, sintonizam-se.

"Pois vamos ver quem sai vencedor nesta guerra. Você pode estar fantasiado de nobre elegante, mas ainda é um grosso camponês, e não tem nada de galanteador. Eu o odeio."

Sorri. Havia acertado o alvo. Atingira-a como previra. Ela estava fora de si, e isso me embriagava de prazer. Fazia-a sofrer pelos insultos, devolvia na mesma moeda os sentimentos infelizes, por isso ficávamos sintonizados na mesma faixa vibratória, e as emoções se revezavam na baixa esfera das sensações.

"Meu Deus", pensava a filha de Yuri, "quem é realmente este homem que tem a faculdade de aprisionar minha mente e me dar ordens? Vai ver que tem parte com forças demoníacas, ou seja lá o que for. Ele é uma pessoa perigosa. Pelo que se falava de sua tia, ela vendera a alma para as forças do mal! Ele deve pertencer a essas seitas que idolatram entidades sombrias em cerimônias macabras."

Ah, as lendas, as crenças e o folclore, alimentando a imaginação do povo, a cabeça das moças, amedrontando os menos inteligentes e de raciocínio curto, sem bom senso. À época, os mais espertos influenciavam os mais ingênuos e impressionados. Nisso não se diferenciavam o homem e a mulher, porque o desconhecido é sempre assustador para quem vive no mundo das formas físicas.

Vê-se que os séculos se sucederam no mundo corpóreo, mas as mentalidades continuaram cultivando e fantasiando o desconhecido.

Após a hora de arte, todos retornaram ao salão de baile. Eu não perdia de vista a bela condessa e observei que ela não parava de dançar com um jovem militar de estatura média, cabelos louros e postura empertigada, deixando-me intrigado, ansioso e ralado de ciúmes. Todavia não podia permanecer vigiando-os, as obrigações de anfitrião não me davam chance de ser expectador da minha própria festa.

À falta de familiares mais próximos, pois vivia só, o grupo que me assessorava — amigos mais próximos — mantinha-se em espaço especial, no alto de uma escadaria, como manda o cerimonial, onde havia um lugar onde podiam ficar em confortáveis poltronas, sempre atentos às saídas e chegadas dos convidados, nunca deixando o lugar que lhes fora reservado vazio, com a minha presença ou não, dando-me sempre total cobertura.

Já era alta hora da madrugada, e o baile continuava em total êxito. Ninguém havia se retirado, isso era sintoma de que a festa estava encantadora e havia sido aprovada sob todos os aspectos.

Não me descuidara de nada, muito menos de vigiar dissimuladamente minha pretendida, mas comecei a afligir-me, porque o jovem militar, alegre e simpático, permanecia junto a ela e lhe oferecia seu melhor sorriso e bom humor. Notei que, em fugazes momentos, ele beijava-lhe os cabelos enfeitados por uma tiara de diamantes no alto da nuca. Meus nervos estavam sob tensão. Alguma coisa me dizia que ali havia mais do que uma simples camaradagem entre dois jovens, e eu tremia de ciúmes e raiva. Por que ela não podia me amar, não era eu tão apreciável quanto ele? Porventura não era adulado, bajulado por muitas jovens bem-nascidas que me diziam o quanto era formoso e galante? No entanto, lá estava eu, de olhos alongados por alguém que me desprezava e não fazia segredo disso. Não me contive, afastei-me do meu posto de anfitrião e dirigi-me por entre pares, aproximando-me deles, e pedi a ambos que ela me concedesse uma dança. O hussardo, reconhecendo-me como o dono da festa, cedeu sem nenhum empecilho, entregando-me a parceira.

Natasha me fulminou com olhos de contrariedade, sem pronunciar palavra. Seu corpo enrijeceu ao meu toque, todavia deslizou pelo salão como se fosse um boneco sem vida movido por artista invisível.

Em um intervalo para mudar o ritmo da música, ela arriscou, com desdém, elogiar a comemoração:

— Parabéns, você a cada dia se supera, sua mansão está primorosa e, na solenidade, conseguiu reunir as famílias mais tradicionais da Rússia, conquistou a corte. Todos o bajulam e estão a seus pés. Vê-se que não poupou nada para abrilhantar a festa.

— Você tem razão, "quando o dinheiro vai à frente, todas as portas se abrem", já dizia Shakespeare.

— Ah, você também conhece as ideias do grande dramaturgo?

— Por que não? E não só ele, também outros escritores, tanto antigos quanto modernos. Ou você acha que só leio a *Bíblia*, como os camponeses?

— Não tinha intenção de ofendê-lo ou de ferir seus brios.

— Pois pode ter certeza que conseguiu, e foi intencional, porque você não suporta minha suposta origem sem linhagem. Entretanto, posso afirmar que pertenço ao sangue desta família que me devolveu o que era meu por direito divino, natural e por justiça. Contudo, nada vou revelar, porque, se o fizesse, envolveria pessoas a quem tenho apreço e afeto. Deixo sua imaginação bisbilhoteira fantasiar.

— Você é um Koslowsky? Em que grau de parentesco?

— Isto não importa, e não tenho por que revelar assuntos reservados de família.

— Mas... bem, você está certo, não tenho o direito de desvendar enigmas e confidências e nem sinto essa curiosidade, não é o meu forte. Você poderia me dispensar? Quero tomar ar, o volume de gente é muito grande, aquece o ambiente e me sufoca.

— Interessante, quando estava com aquele moço não parecia estar se sentindo mal, é a minha presença que a sufoca, não?

— Entenda como quiser, não lhe devo satisfação nem como anfitrião da festa.

— Fique sabendo, minha bruxinha, que sou como o inverno do nosso país — longo, mas pacienscioso —, minha estação preferida, quando adquirimos a virtude da paciência. Mas está bem, vou conduzi-la a um dos jardins do salão principal e providenciarei que lhe tragam refrescos para minimizar a falta de ar — falei irônico.

— Não — disse ela, com fingida resignação —, por favor, leve-me até os meus pais. Devem estar preocupados, faz um bom tempo que não os encontro.

— Sim, já entendi, é o moço que quer encontrar, não? Mas não se esqueça de dizer a ele que você me pertence e não tem escolha, lembra da bailarina?

— Ah, o sonho... Você também sonhou! — ela me olhou com espanto. — Mas quem vai dar crédito a sonhos? Certamente, se nos empanturrarmos à noite, teremos pesadelos, não concorda? — E resolveu contemporizar: — Sasha Dimitri Koslowsky, há algum tempo já tivemos uma conversa séria sobre minha vida, e posso garantir que ela está traçada. Não tenho nada contra você, ao contrário, lhe devemos muito. Mas o que você quer de mim não posso oferecer, porque não se manda nos sentimentos, e os meus estão aprisionados a alguém que prezo, amo e respeito muito, e não há paciência, nem do tamanho do inverno, que me faça mudar. Sinto muito e desejo do fundo da minha alma que encontre alguém que o faça muito feliz, porque sei que é um bom homem. Por favor, não insista, nossos destinos têm direções contrárias. Posso oferecer minha amizade, meus sentimentos fraternos. Por isso, meu amigo — e adoçando a voz para dar mais ênfase —, procuremos ficar em paz e, certamente, teremos um bom convívio, sem rixas, sem mágoas. Assim, papai ficará satisfeito e nós poderemos ser bons amigos, quem sabe dividindo confidências.

— Você tem segredos, Natasha? — falei, num tom de desapontamento. — E que segredos pode ter uma jovem tão prendada? O que você esconde nessa sua candura? Vivendo sob o teto de uma família tão ilustre quanto a sua e tão bem conceituada na corte e entre a nobreza? Que terá você para esconder que não pode contar a não ser para os padres ou confidentes?

— Ah, você é incorrigível e não entendeu nada, ou não quis entender. Paciência, tentei me aproximar, fazer amizade viver em paz, porém...

— Você diz que não manda nos seus sentimentos, eu também, e até a entendo. Mas na vida é o homem que dá as cartas, é da natureza que isso aconteça e nunca vai mudar, nós mandamos e vocês obedecem. Enquanto a mulher fica em casa bordando, cuidando dos filhos e outros afazeres domésticos, somos nós que vamos para guerra, defendemos o nosso país. Somos, sem dúvida, o lado forte a quem todos, sob nosso teto, devem obediência e respeito. Lutamos para trazer o conforto, o alimento e tudo que uma família tem direito. Seu pai, com os reveses da vida, tornou-se condescendente demais consigo. Se você fosse minha filha, seria eu a escolher um bom partido, e tenho certeza de que não erraria. Com o tempo, até me agradeceria.

Senti, neste instante, que tinha passado das medidas. Seu sangue fervia, e ela mal continha a exasperação. Suas narinas abriam com a respiração ofegante. E disse, mal se contendo:

— Acontece que não sou sua filha, e já estou farta desta conversa que não vai nos levar a lugar nenhum. Bem que tentei ser sua amiga, mas enfim... Se não se incomodar, quero voltar para perto dos meus pais.

O estopim da desavença tinha sido acionado mais uma vez. Meu lado sombrio tomava corpo: tinha vontade de magoá-la, feri-la, por Deus, fazê-la sofrer como eu estava sofrendo, repudiado, descartado. Neste momento entendi tia Wolga, que destruía gatos para dar vazão à sua impotência quando não conseguia seus objetivos. Entretanto, eu era pior. Desejava sua morte. Se não fosse minha, não seria de ninguém. Esse era meu lado ruim que se impunha, se avantajava e queria revanche.

Bem, conduzi-a até o balcão onde estava sua família, ambos raivosos por motivos que se cruzavam. Todavia, a educação e o bom-tom em sociedade falaram mais alto, e ela, linda, imponente e impiedosa, caminhava de cabeça erguida, como convinha a uma nobre da mais alta estirpe da majestosa Rússia. Contudo, um sorriso fino e frio cortava meu rosto de simetria fidalga, e, pensando, ruminava para mim mesmo: "deixe estar que logo, logo vou dobrar todo este orgulho com a lâmina do meu poder e do meu amor. Você nasceu para ser domada, como se faz com os animais selvagens que, após o adestramento, ficam mansinhos, mansinhos e obedientes".

Capítulo 41

Um estranho personagem

Natasha não foi mais a mesma depois do encontro comigo, o responsável pela recepção. Temia por si e pelo seu permanente par. Sentia a minha presença, a minha vigília, o meu poder mental reprimindo-a, cerceando-a, intimidando-a. Mesmo assim, ela voltou a dançar com o imberbe hussardo, mas já não tinha aquela felicidade estampada que me magoava. Meu lado bom veio à tona e assumiu a minha personalidade. Deixei de pressioná-la, via em sua mente o terror, pois achava que eu tinha pacto com as trevas, não só lia seus pensamentos, como a ameaçava com torturas inimagináveis. Se porventura continuasse a me desprezar... Ela via meus olhos por toda a parte, e eram mil vistas observando-a. Em um dado momento perdi-a de vista, mas minha intuição avisou-me que eles estavam no pequeno jardim propício a encontros amorosos, porque era um lugar aconchegante e mágico. Era ali que eu idealizara me encontrar um dia com ela, contudo não era comigo que ela estava, quem sabe fazendo juras de amor. Ah, que inveja tinha daquele que roubara seu coração, para mim sobrara apenas a amizade. Para piorar minha desilusão, convocava-me para ser seu confidente, triste posto que eu não cobiçava. Entretanto, eram tão raros os nossos encontros e tão tumultuados quando nos víamos, que na realidade não me servia o papel de fiel guardador de segredos.

Sem que me desse conta, perdi-a de vista, não a encontrava em nenhum lugar. Aproximei-me de seus familiares alegando uma dança prometida por ela e fiquei esperando uma resposta, sendo informado por sua gentil mãe:

— Natasha está dançando com Russowsky, que veio da Polônia especialmente para sua recepção. Veio junto conosco por insistência de nossa filha, que é amiga íntima da sua irmã, que se encontra acamada. Um grande resfriado a reteve sob cuidados médicos. Se não está no salão, deve estar em um dos jardins de sua bela casa.

Intuitivamente sabia onde achá-la. Passei por trás da frisa e fui direto ao jardim de inverno, o aconchegante lugar que eu idealizara para passar com ela meus momentos românticos.

Por entre as folhagem e flores artisticamente compostas, ouvi cochichos, gritinhos, farfalhar de vestido, sussurros, que só os enamorados sabem dosar. Suspendi a respiração como um ladrão de emoções e agucei os ouvidos, porque minha visão não alcançava quem realmente ali se escondia — e que na verdade não era para se refrescar. O som da conversa era tão baixo que apenas entendia alguns monossílabos, entremeados de risinhos, com intervalos de silêncio. Não me contive e aproximei-me o mais que podia por entre as estufas de vegetação que me davam cobertura. Antes não o fizesse, pois deparei com o que não queria ver, isto é, Natasha nos braços do jovem militar, beijando-o com grande intimidade. Senti que o chão fugia dos meus pés. Ali estava o objeto do meu amor, nos braços de alguém que me roubava seu afeto e esmagava meu amor.

Em certo momento, Natasha, aguçando os ouvidos, diz ao acompanhante:

— Estou ouvindo alguém se aproximar, já ficamos por demais tempo aqui, e meus pais podem dar falta de nós. Também não fica bem ficarmos a sós neste jardim fechado, podem nos encontrar e fazer mau juízo de nós.

— Qual o problema? Logo vamos casar. Estou apenas esperando que você me diga quando falar com seu ilustríssimo pai.

— Anton, papai sabe do seu envolvimento com os inimigos do governo, e por certo temerá por mim, porque, se o pegarem, o mandam para a prisão na Crimeia. Não lhe perdoarão a ousadia. Não, acharei uma melhor forma de resolver nossos problemas, e, depois, tenho medo de Sasha: ele tem pacto com forças demoníacas.

— Querida, deixe de ser tão fantasiosa, devemos ter medo dos vivos que matam e trucidam o nosso povo pobre e miserável. Enquanto os ricos vivem na abundância, a maioria dos vassalos morre de fome e frio porque não sobra comida nem agasalho para se proteger do rijo frio da Europa do lado de cá.

— Psiu — fez ela amedrontada —, tem alguém nos espionando.

— Pois então que apareça, se for deste mundo, e, se não for, que nos dê um sinal.

Foi o suficiente para que minhas forças psíquicas se manifestassem com toda a energia, energias em forma de ectoplasma, utilizadas pelos espíritos de inferior estado psíquico que sempre me acompanhavam por atração magnética. O campo energético a minha volta foi acionado por tais espíritos de tal forma que um tufo de vento em forma de pequeno ciclone movimentou as folhagens, tufos de vegetação em grandes vasos se espatifaram no solo, e meus sentimentos entre o bem e o mal se digladiaram, se agigantaram como nunca haviam se projetado. Um ódio descomunal tomou conta de mim. A fera que represamos de nosso instinto animal, trazida de antigas eras, se fez presente com todo o seu apogeu, e o meu corpo era uma tocha viva onde vozes, dezenas delas, se faziam ouvir em tons guturais amedrontando, caçoando, intimidando, como se fossem mesmo criaturas que saíam das crateras do inferno a tentar tocar fogo em tudo o que viam. A confusão no jardim tinha-se estabelecido, as fontes quebraram, e águas escorriam por toda a parte.

De um canto, por entre as folhagens, saltou um minúsculo homem, um anão, a enorme cabeça sustentada por um pequeno corpo de braços e pernas curtas, olhar esbugalhado num permanente sorriso. Era uma caricatura ambulante, e este pequeno ser foi que concitou os namorados a fugir por uma porta lateral, camuflada por heras e ramos de flores, que ia dar para um dos salões da festa.

O assombro foi tão grande que deixou os enamorados petrificados, sem ação, enquanto eu, em transe e descomposto, espumava, enlouquecido de ciúmes e impotente para acabar logo com aquilo.

Neste meio-tempo, o homem pequeno abriu uma porta escondida por entre belas trepadeiras e os fez passar por ali, sem ficarem expostos aos demais convivas. Como estivessem molhados e o constrangimento fosse estarrecedor, ele os encaminhou por extenso corredor, por entre as paredes dos salões de festas, mas ao abrigo de olhos curiosos, sem dizer nada, apenas conduzindo-os em silêncio, enquanto os enamorados tremiam de frio e de medo.

Ao ficarem fora das vistas dos convivas, em outro aposento, afastado da ala central da mansão, sentaram em poltronas rústicas e relaxaram sob o olhar perscrutador do seu guia, ainda sob o forte impacto do acontecimento.

— Esta foi por pouco — disse o oficial, ainda sem nada entender. Se não fosse pelo senhor, talvez sucumbíssemos àquele transtorno, que não sei de onde partiu, e também ao vexame, pois estamos molhados e nossos trajes, em desalinho.

— Eu não disse que esse senhor tem pacto com forças demoníacas? O que nos aconteceu deve ter participação dele — tornou a bela Natasha, já se recuperando do susto. — E agora, como vamos retornar com as nossas roupas molhadas?

De repente apareceu um pequeno homem que os orientou:

— Não se preocupem — disse o minúsculo homem. — A carruagem os espera na lateral do castelo, e também mandei avisar seus pais, que os esperam, devidamente abrigados na escadaria da entrada da frente. Quando a carruagem for pegá-los, estarão dentro dela, aguardando-os. Está tudo sob controle.

Mas quem é você que aparece quando mais precisamos, nos conduz por caminhos secretos e nos faz gentilezas que sabemos não merecer, pois nem o conhecemos? Certamente não foi a mando do dono da casa, hein, ou será que foi? Então estamos perdidos, porque falamos mal do seu senhor!

— Não precisam temer, não sou servo desta casa nem tenho nenhum contato com o anfitrião desta festa. Entretanto, conheço todas as passagens secretas deste lugar, porque ajudei a projetá-lo. Estudei arquitetura na França. Sou nascido de família ilustre, mas, como veem, não sou nenhuma beleza. Meus pais mandaram-me para lá com uma governanta de confiança, que me deu uma educação sofisticada e prodigiosa. E, como diz o populacho que cabeça grande é sinal de inteligência, eu não decepcionei: estudei com afinco e consegui o diploma de arquiteto. Apesar de tudo, não cresci e continuo feio, mas é só isso. Posso assustar, mas não magoo ninguém. Vamos depressa que seus familiares os aguardam na escadaria principal.

Natasha e seu acompanhante procuraram o transporte e se instalaram, ainda sem entender direito toda aquela situação inusitada. O condutor da carruagem dirigiu-se à frente do castelo para receber os pais da jovem, que já haviam sido informados pelo desconhecido. Yuri e sua esposa embarcaram no veículo e se depararam com Natasha e Anton encharcados. Nabokov foi o primeiro e se manifestar:

— Mas por onde andaram? Por acaso foram tomar banho no rio? Recebemos o recado e saímos sem nos despedir do anfitrião, pois não conseguimos localizá-lo. Foi de mau gosto o que fizeram. Amanhã mesmo mandarei alguém levar nossas desculpas, afinal nosso amigo Koslowsky não é um qualquer, é nosso amigo, devemos explicações, não merece essa desfeita.

— Papai, o senhor está tão obcecado por Sasha, pois nem nos perguntou se estamos bem e o que realmente nos aconteceu.

— Está bem, minha filha, agora me responda: o que foi mesmo que aconteceu?

Natasha já ia desfiar uma torrente de admoestações sobre o anfitrião quando Anton tocou-lhe o braço e se antecipou:

— É que eu sou um desastrado, estava admirando uma das fontes que ornamentam o jardim quando tropecei no vestido de Natasha e fomos em direção ao chafariz, que entornou a água sobre nós. Como ficamos desalinhados, achamos que o melhor era avisá-los e tomar uma carruagem sem que os convivas nos vissem. Peço-lhe penhoradamente desculpas por interrompê-los e privá-los de tão magnífica festa. Entretanto, não queria colocar sua filha em situação constrangedora.

— Não é justo o que você disse Anton, porque não foi bem assim — interrompeu Natasha.

— O que não foi bem assim, minha filha? — perguntou Yuri Nabokov, já em profundo cismar; seus olhos permanentemente tristes transmitiam sua amargura pela vida.

— Deixe de dramatizar, minha querida, foi só isso, amanhã providenciarei para que seu vestido seja lavado e passado, garanto que ficará novinho outra vez — novamente Anton tentou corrigir.

Natasha desistiu de reclamar, porque também estava exausta e não via a hora de ir embora. Seguiram todos em silêncio. A noite estava muito fria, e ela tiritava de frio, embora usasse uma manta e o casaco de Anton. Assustada, via meus olhos nas paisagens da estrada e, para afugentar a visão, colocava o rosto no peito do hussardo, para proteger-se da minha perseguição. Com a saída dos convidados preferidos, a festa não teve mais o sentido que eu dera a ela. Perdi o gosto pela conversa vazia de salão, e os convidados foram se retirando um após o outro, para meu alívio.

Natasha, após o acontecimento misterioso na minha casa, na grande comemoração, tornou-se assustada e arredia. Afinal, conhecia sobejamente a força de que eu era possuidor e pensava que eu não vacilaria em praticar qualquer ação para possuí-la, disso eu lhe dera provas concretas na festa, observando-a, ameaçando-a, mesmo que fosse veladamente. Meu poder a congelava, e certamente concluía que tinha planos homicidas para seu querido Anton. Os empréstimos ao seu pai tinham um único fim — argumentava para si mesma: — obrigá-la a se casar comigo, mesmo contra sua vontade. Fazia-me de bonzinho junto ao pai, que era decente e honrado, mas na verdade era um crápula que se aproveitava de um homem melancólico que vivia do passado.

Minha pobre querida mal sabia que eu podia ter rancor de tudo isso, mas jamais me atreveria a machucá-la. Natasha era a minha fonte, e eu não podia prescindir da sua presença, do seu orgulho que incitava o meu. Seu ódio alimentava-me a necessidade de aprender, adquirir, aumentar minha fortuna, ser especial e invejado por todos. Mas tê-la aos meus pés, suplicando migalhas do meu amor, era um sonho que eu acalentava. Com esses pensamentos, cada vez mais as trevas tomavam conta do meu destino.

Capítulo 42

Hipnotizado por um homenzinho

Anoitecia. Uma carruagem preta enfeitada de arabescos dourados nas portinholas — o que dizia que quem ali dentro estava não era uma pessoa comum — parou em frente à minha mansão. O cocheiro abriu a portinhola e, em tom baixo, falou com a pessoa que ali estava, recebeu as ordens, depois caminhou até a porta de madeira pesada que substituíra aquela antiga e carcomida e bateu várias vezes antes que alguém o atendesse.

— O que deseja? — perguntou o homenzinho de origem chinesa, conhecido pelo nome de Chan Ching Ling, que estava trabalhando para mim. — Esta hora o patrão não recebe ninguém, a não ser que tenha hora marcada.

— Venho a mando do Príncipe Kostantinos Blazoudasakys, da casa dos czares há três gerações,

eis seu cartão. Entregue ao seu patrão e diga que ele espera ser atendido com certa urgência.

O criado tomou o cartão de apresentação das mãos do desconhecido, cujo casaco de astracã estava tomado de neve e suas botas encharcadas, e mandou-o esperar na antessala. Fechou a porta do meio, colocou numa salva o papel de identificação e o levou para mim, no meu gabinete preferido, onde estava a ler.

Enquanto se dirigia para meu gabinete, Chan Ching Ling pensava com os seus botões: "Tomara que o patrão não esteja de mau humor, senão vai me despachar com xingamento. O desconhecido não me deu escolha. Afinal, é gente do poder. Se eu não o atendessse, podiam até me prender. Estes tempos são loucos, e eu não quero ir para as geleiras, sou mais útil à causa aqui".

Bateu uma vez, depois mais forte, achando que eu estivesse cochilando, após semanas de preparação para o grande acontecimento. Assim todos achavam, inclusive eu. Portanto, era compreensível sua hesitação.

De fato, eu ainda não me recompusera de todo da festa e do fenômeno que provocara no jardim. Meus sentimentos eram confusos, pois vergonha e ódio se confundiam num duelo sem trégua. Estava nessa mistura de sentimentos, quando meu criado bateu na porta pela terceira vez.

— Patrão... — e ficou aguardando resposta. Como não respondi, tornou a chamar-me, já com a voz tremula. — Desculpe, mas há alguém que quer lhe falar com certa urgência, diz que é parente dos czares.

Com estas últimas palavras, minha curiosidade ficou aguçada. Levantei-me do divã em que me recostara e abri a porta.

— Veja seu cartão, ele o aguarda na carruagem, esperando para ser recebido — disse o chinês no seu linguajar característico.

Tomei do cartão, li o nome grafado — pomposo — e as insígnias. Entretanto, nada me diziam. Não tinha nas minhas relações sociais, nem de negócios, a pessoa que se chamava Kostantinos Blazoudasakys.

Olhando Chan Ching Ling, perguntei:

— Você sabe quem é?

O serviçal franziu a testa, mexeu os ombros, abriu e fechou os braços, querendo dizer que não tinha ideia de quem podia ser.

Fiquei curioso, pois o dignitário se denominava príncipe, na linha de parentesco com os czares. Nunca tinha recebido em particular um príncipe, e em hora tão inconveniente. Eles geralmente mandavam seus representantes, como seus contadores, e, pelo jeito, este tinha pressa em ter comigo. Não pensei muito; a curiosidade aguçou-me o interesse e ordenei ao chinês que o fizesse entrar, conduzindo-o para a sala de visitas confidenciais, um aposento de paredes forradas com material acústico vindo da França, que impedia que do outro lado da parede alguém pudesse ouvir. Era um cômodo com muitos objetos importados, distribuídos propositalmente a fim de confundir os visitantes, tinha poltronas confortáveis e tapeçarias revestindo as paredes, ornadas com finos gobelins[45]. Um grande espelho com bisotê[46] era resguardado por uma cortina de veludo preto, aberta de par em par. O cômodo fora justamente preparado para fazer os visitantes indesejáveis ou inesperados dizerem o que tinham de dizer e se retirarem, pois o espelho propositalmente deformava-lhes as formas, tornando-os ridículos, aumentando-os em altura

---

45. Tapeçaria fina, com ricas paisagens para decoração de paredes. (N.E.)
46. Um tipo de acabamento dado ao vidro por meio de lapidação e polimento. Também conhecido como biselado ou bisotado. Destaca-se por sua beleza singular e pelo brilho que carrega em suas formas. (N.E.)

ou achatando-os, dependendo do ângulo. Quando os visitantes se olhavam, se assustavam, acreditando que ele desvendava suas verdadeiras intenções, e, assim, logo se retiravam.

Nem bem Chan Ching Ling retornara à porta da antessala, lá já estava o visitante, sentado em uma cadeira ambulante carregada por dois cossacos, grandes e musculosos, o que arrepiou o criado.

— Não pude esperar na carruagem: o tempo urge, e eu tenho de partir antes das nevascas fortes. Tenho negócios no interior da Rússia, onde as intempéries são maiores e mais avassaladoras do que esta da cidade, por isso o inconveniente de entrar nesta sala sem ser devidamente convidado, mas de antemão já sei que seu patrão espera-me na sala.

O chinês, ao ver aquele homenzinho de estatura reduzida sentado na cadeira especial, carregado por dois brutamontes, engoliu em seco; não esperava por aquilo, mas não tinha mais jeito: teria que levar o visitante até o fim, como mandara o patrão.

— Entre, entre, senhor, é por aqui — indicou a direção da sala onde eu atenderia o homenzinho carregado pelos seus condutores.

— Obrigado — disse o príncipe minúsculo. — Sou muito baixo e fico em desigualdade ante os maiores, por isso sou carregado pelos meus auxiliares, mas eles não ficarão; apenas me colocarão na sala com a cadeira. Não nos tema, somos de paz — complementou o anão, vendo desconfiança e apreensão nos olhos do chinês.

Neste meio-tempo, uma sombra de angústia tomou conta de mim. Sentia um medo terrível, como se fosse defrontar-me com um adversário. Sentia na acústica do meu cérebro os sons fantasmagóricos e sentia o rosto sendo bafejado por uma brisa gelada. Após uma noite de tantas surpresas, meus nervos estavam abalados, e meus pensamentos ainda continuavam confusos. "Não posso perder a razão, não agora que mais preciso dela. Onde estaria a chave daquele mistério? Bem, esta não é a melhor hora para pesquisar, meu visitante me aguarda."

E, de imediato, encaminhei-me para o lugar em que era esperado.

Ao me defrontar com aqueles homens saindo da sala, cobertos de peles como se fossem ursos, parei e gritei:

— Estou sendo invadido! Quem são vocês? Chan Ching Ling, chame os guardas!

E uma voz gritou lá de dentro da sala:

— Não precisa, conde, eles vieram comigo, mas já estão de saída, entre, entre.

Reconheci de imediato aquela voz, e ela mexeu com meu instinto. Corri para ver quem era. Eu não tinha me enganado, era mesmo o intrometido homenzinho que havia livrado Natasha e seu acompanhante de minha insânia. Deu-me gana de esmagá-lo.

— Você aqui, invadindo novamente minha propriedade? Como se atreve, e ainda se passar por parente próximo dos monarcas?

A essa altura, do lado de fora da sala, os carregadores de Kostantinos espremiam os dedos, estalando-os, prontos para uma boa luta.

— Senhor, é só ordenar que acabamos com esse farsante — disse o mais forte, com a cara transformada em ódio, pois estavam desacatando seu nobre senhor.

— Nada de violência, é apenas um mal-entendido. Na verdade, sou descendente da família real e uso seu brasão. Vivi muitos anos entre Roma, Paris, Espanha, Índia, Tibet e outros países da África. Você pode não acreditar, mas sou arquiteto e engenheiro e projetei toda a reforma da sua mansão junto com uma equipe solicitada por você mesmo; inclusive mandamos desenhos de outras construções para você apreciar. Conheço essa residência palmo a palmo.

Não tive escolha, a não ser receber aquele pequeno ser com certa repugnância, fechando a porta do recinto.

— Está bem, a que devo a honra — falei irônico — de ter o prazer de receber tão ilustre pessoa? Está precisando de rublos? Afinal, é para isso que sou sempre procurado. Mas de antemão afianço, meus cofres no momento estão vazios, a festa da inauguração da reforma projetada por você levou todas as minhas reservas. Portanto, príncipe, perdeu seu tempo e o meu também, bem mais precioso do que o seu. Por favor, retire-se, a audiência já terminou.

Contudo, ao me encaminhar para abrir novamente a porta e virar as costas para ele, dei com o espelho de intimidar pessoas. E qual não foi minha surpresa quando deparei com um jovem tibetano refletido no espelho sem nenhuma distorção, paramentado com vestes religiosas. Pensei de imediato: "Um Dalai Lama!".

Era uma figura doce, suave, de ímpar beleza e olhar de compaixão. Assustei-me e, num impulso, indaguei, um tanto perplexo:

— Quem é você, quem o colocou aí? Não, não é possível, ninguém penetra em um espelho. Estou perdendo a razão! — E, olhando para o pequeno homem, perguntei: — Você está vendo o que eu estou vendo?

— Sim, aquele sou eu, ou melhor, o meu reflexo. Na aparência, sou o anão que assusta e diverte os debochados. Na alma, ainda guardo com carinho lembranças de outra existência que me é permitido evocar quando necessário. Sou o cidadão tibetano sem pretensões, sem grandes desejos, a não ser aprender a cultivar o espírito e ajudar as pessoas mal-intencionadas a refletir sobre as ações que pretendem fazer. A propósito, não vim pedir empréstimo, porque o que possuo em herança me basta.

— Isso é mágica, cada um tem a imagem que lhe foi dada ao nascer. Você é ilusionista, quer me fazer de idiota, entretanto não estou disposto a assistir a uma sessão de mágica. Por favor, ponha-se para fora daqui, não o conheço e não quero conhecê-lo. Não quer dinheiro, ótimo, por que não emprestaria de qualquer forma.

Neste instante, um aroma agradável de benjoim, um bálsamo aromático, se fez presente na atmosfera, espalhando-se pelo aposento, envolvendo-me e me entorpecendo, causando-me um grande bem-estar. Embevecido, procurei uma poltrona para me sentar. Sabia, sentia que estava sendo envolvido por algum tipo de hipnose, mas a sensação era tão boa que não me importei com as consequências, queria mesmo era continuar com aquele sentimento, que me era muito agradável. Tinha a nítida impressão de que o aposento se modificava em tamanho e era tomado por uma espécie de névoa, fazendo tudo ficar flutuando.

Minha atenção incomodada estava voltada para o espelho, que ainda mantinha a figura do suave tibetano. Eu disse para o homenzinho:

— Tire-o dali, se for capaz — falei sem muita certeza.

— Não, vou fazer melhor — respondeu ele com convicção —, vou entrar ali e juntar-me ao meu reflexo.

E sem delonga, como que atraído pela imagem, foi sugado por ela. O homenzinho voou para dentro do espelho, e a figura que lá estava sugou-o. Fiquei aturdido, minha cabeça pesava, uma tontura suave tomou conta de todo o meu ser, enquanto eu me esforçava para me manter lúcido. De dentro do espelho, uma voz soou clara, firme e ao mesmo tempo doce.

— Não era minha intenção mantê-lo sob meu controle, mas seu orgulho e sua soberba não me deram escolha. Então, ouça-me com atenção. Tive uma encarnação de aprendizado, no Tibet, que me foi proveitosa. Lá conheci muitas verdades que modificaram meu coração. Como você, fui duro, intransigente e prepotente. Todavia, por causa da atmosfera de amor e sabedoria em que fui envolvido por décadas e pelos ensinamentos dos mestres e do supremo amigo Dalai Lama, cedi; não pela força, mas pela perseverança e persistência daqueles que me amavam, embora sabendo das minhas péssimas qualidades. Poderia ter novamente nascido naquele abençoado país, porém fui advertido pelos mestres que devia reencarnar num país como a Rússia para trazer conhecimento e apresentar o efeito moralizador também das vidas sucessivas. Em vidas pretéritas encarnei na Babilônia, na Assíria, no Egito, na Mongólia, nos países baixos da Ásia e da África, e nestas terras pouco progredi. Trazia o coração e o entendimento áridos; foram experiências ásperas e agrestes, estive sempre a serviço da guerra, fosse onde fosse. Era forte como um touro, mas pequeno de alma. Habitavam em mim mais os instintos do que a razão e a emoção. Com o passar dos séculos, fui desenvolvendo as asas do conhecimento e do sentimento. E você há de me perguntar do porquê de ter nascido assim, feio, deformado, com uma enorme cabeça num corpo mirrado, mas com tantas qualidades intelectuais. É uma boa pergunta, sinal de que está se interessando pelo assunto, embora não pronuncie qualquer palavra.

E então ele continuou pausadamente, como se quisesse que suas palavras falassem fundo em meu íntimo:

— Eu tinha uma tarefa a executar por estas paragens. Precisava nascer num lar que me desse a oportunidade de ter uma educação excelente para aquilo que me propunha. Entretanto, se tivesse um aspecto saudável, corpo viril e bem apessoado, logo estaria sendo conduzido para uma aprendizagem que não condizia com a minha proposta de trabalho. Por isso, escondi-me naquele corpo modesto para ficar livre das convenções sociais e militares. Meus pais depressa me passaram para o quarto da ama de leite e, aborrecidos com a minha forma, deixaram-me à mercê dos cuidados das amas e dos criados. Escondiam-me em dias de festas para eu não causar constrangimento a eles e aos convidados. Cresci... hum... força de expressão. Digamos que fiquei mais velho, minha inteligência desabrochou, e minha sensibilidade para a arte também. Quando prestaram atenção para essas minhas qualidades, enviaram-me para a Europa civilizada, com muitos criados e uma comitiva. Instalaram-me nas melhores mansões, matriculando-me nos melhores educandários. Como tinha sensibilidade além do normal, era sempre visitado pelos meus mestres, que me davam força e coragem, instruindo-me na arte da sabedoria e da compaixão, apresentando-me Jesus como o maior mestre que descera à Terra e me incentivando para que eu estudasse seu Evangelho de amor e misericórdia. Não repudiei a doutrina da compaixão dos tibetanos, ao contrário, fundi ambas para levar adiante o desenvolvimento das minhas propostas e, garanto-lhe, tenho tido bons resultados.

"Aprendi que a vida não se encerra no nome ilustre, na beleza do corpo ou nas artimanhas da inteligência. Podemos ser diferentes por fora, não ter uma apresentação igual a dos outros, nem esbelteza, mas temos a perfeição da nossa alma. Sou um ser desprezível na aparência, entretanto estou limpo por dentro. Não detenho o mal nem desejo o mal para quem quer que seja. Trago mais claridade do que treva na minha intimidade, carrego o archote do entendimento de Deus, sem os convencionais ritos que a Igreja impõe, para alcançar algo mais que a imortalidade. Há muito que trilhar para deixar a lâmpada do espírito se expandir.

A riqueza, a casta, os bens terrenos são passageiros, ficam neste globo; porém, o que aprendemos ou o que fazemos em detrimento dos semelhantes, em desatinos, levamos conosco em forma de ação para o invisível. É lá que vamos fazer a nossa contabilidade em saldos positivos ou negativos, para depois retornarmos a esta terra mansa onde deslizamos ou pisoteamos com nossos atos.

Pasmo e imobilizado, ouvia sem poder fazer nada!

— Enquanto não desenvolvermos a bondade — continuou ele — na sua mais alta importância, como o amor e a compaixão, tardia será nossa transformação como indivíduo e partícipe de uma sociedade bem constituída. O contato com Deus pelo exercício dessas qualidades que acabei de citar é fundamental para uma vida feliz. Sem isso, a alma enfraquece e se atormenta com objetivos insignificantes para a plenitude.

— Liberte-me da sua força, e eu poderei defender-me — falei quase gritando. — Você e esse todo-poderoso que se faz crer deve também saber que não sou dono dessas coisas que acontecem comigo desde que vim para cá. No campo, onde passei a maior parte da minha vida, era feliz e conformado com a vida que possuía. Todavia, uma tia louca e com remorso, à beira da morte, resolveu mudar o rumo do meu destino, e aqui me encontro, rico e muito infeliz. Na verdade todos me bajulam não pelo que eu realmente sou, mas pelo que represento. E o que você viu na noite da festa, nem sei como explicar. Basta eu odiar para soltar a fera que habita no meu interior. Ela fica fora de controle e, então, vomito todo o inferno que jaz em mim. Quem eu sou? Sinceramente, não sei. O que sei é que aqui me perdi, meus sentimentos são contraditórios, e da alegria à tristeza, do amor ao ódio, há um tênue espaço onde me movo como um tigre na selva, num estalar de dedos. Você fala em mudanças. Se a natureza não dá salto, como dizem, não é do dia para a noite que vou me transformar, disto estou certo, até demais. Você deve saber, já que sabe tudo, o que eu não sei.

"Por um momento, entre o bálsamo que espargiu pelo ambiente e a transformação em tibetano, a paz habitou-me. Uma harmonia não fingida fez-me sentir que os tempos de loucura haviam acabado, que a serenidade permaneceria comigo e que as sensações infernais que me dilaceravam teriam se desprendido da minha vida para sempre. Todavia, vou me deixar seguir meu próprio caminho e esgotar a lama até a última partícula. Sinto que enquanto não queimar tudo isso serei perseguido pelas minhas próprias sombras, e é com elas que eu tenho contas a saldar."

— Mas o homem tem de lutar com seus demônios, domá-los, discipliná-los — continuou o gentil baixinho transformado em hindu. — É por isso que possuímos uma consciência que nos diferencia dos animais. Bem, essa é uma concepção ocidental, mas posso explicar tal conceito de outra forma: devemos educar nossos ímpetos ancestrais, porque, muitas vezes, entendemos domar por reprimir. Mas não nos livramos do mau proceder, e disciplinar confundimos com regras convencionais da sociedade. Agora educar, sim, é a melhor maneira, porque a educação é a sustentação da vida interior e exterior do ser humano, uma vida de integridade com limites saudáveis, e é nisso que consiste a nossa força, tanto encarnados quanto fora do invólucro carnal. Meu amigo, já se passaram três dias desde que adentrei em sua casa, Sasha Dimitri Koslowsky. Todavia ninguém tomou conhecimento, porque espalhei o perfume do benjoim, que desconecta da mente a noção de horário. Sinto que conquistei um amigo, então é hora de partir. A estrada agreste aguarda-me para novas aventuras dedicadas ao bem. Adeus, amigo, o tempo é o melhor professor, nos ensina sem nos violentar. Entretanto, não retorna; sua missão é seguir em frente, não esqueça.

— Logo agora que me preparava para convidá-lo a hospedar-se aqui você se despede?

— A semente foi lançada à terra, o agricultor é que deve cultivá-la. Então, amigo, mãos à obra.

O tempo passou em forma de areia na ampulheta do tempo. Nunca mais cruzei meu caminho com aquele homem de duplicata entre um Dalai Lama e um nobre russo repudiado pelos seus próprios familiares por não possuir a aparência condigna de um príncipe. Entretanto, nunca mais me esqueci daquela alma nobre que, em apenas três dias, fez-me afeiçoar-me à sua pessoa com sua fidalga postura, revelando a vida de forma amena, e que eu, na época, não compreendia. Estava cheio de mim e da minha soberba, achando que o dinheiro tudo comprava, menos afeição verdadeira.

Todavia, o homenzinho me acompanhou de longe, intercedendo por mim nos altiplanos. Mais tarde soube que ele era um amigo de vidas pregressas, mas, enquanto galgava os degraus do aperfeiçoamento, eu insistia em chafurdar na lama de mim mesmo. Muitas vezes precisamos lamber o chão da nossa própria iniquidade para entender o foco solar que existe no fulcro de nosso ser e que estupidamente não queremos vislumbrar.

Capítulo 43

O lobo interno

Quando, no tempo de hoje, recordo a ignomínia de que fui capaz por ver meu amor tripudiado e desprezado, observo o que fui e o quanto errei. Talvez nesses tempos de transformações e mudanças rápidas de sistemas e governos políticos, eu já tivesse aprendido, em rápidas pinceladas, o sentido de tudo, da vida, enfim, um pouco de mim mesmo. Nisso, atribuo um papel importante ao grande e querido amigo de três dias, Kostantinos Blazoudakis.

Lembro-me dos tempos áureos da aristocracia que, embora me recebesse nos seus salões, intimamente, me repudiava.

Ouvia frases como: "Sexo é um jogo de canastra, nada tem a ver com amor, mas praticá-lo com quem se ama é muito bom. Desejo, sim, tem que ver com sexo." Temas proibidos entre casais, ou na ala feminina, a nós, homens, os donos do mundo, eram permitidos; inclusive matar para saciar nossos instintos. Ah, a memória do instinto, cruel, entretanto, estava sempre presente. Quantas vezes, procurando o sentido da vida e de tudo, nos vimos girando num caleidoscópio com mil faces coloridas, em aturdimentos absurdos, trágicos e, na maioria, indecentes. Emoções desencontradas vinham à tona no meu ser, girando, girando, como roda-gigante, terminando em muitas alegrias sem sentido. Queremos entender o que se passa conosco, em que dor e alegria, raiva e prazer, felicidade e infelicidade se confundem.

Quando estamos, por fora, ajeitados como mandam a etiqueta e as regras do politicamente correto, por dentro sofremos um vulcão de desencontros.

O sadismo e o masoquismo faziam uma festa numa comilança despudorada, e eu lá estava, em plena Rússia dos *startsi*, preocupado tão somente com a minha situação, com o Estado, com a cobiça de obter Natasha, acreditando erroneamente estar liberto de preconceitos, absolvido de pecados em que não acreditava. Estava, contudo, cerceado dos pés à cabeça num sepulcro caiado por fora, como Wolga, que, aparentemente, perante a sociedade era uma cristã, mas na calada da noite executava seus crimes hediondos.

O lobo que habitava em mim continuava insaciado e raivoso.

Mas, pela Santa Rússia, não passava de imaginação alterada. Queria exterminar todos que me desprezavam, mas um ego maior me dizia em alto e bom-tom: "não, não". Quando recordava o que a baronesa Wolga praticara, algo dentro de mim se repugnava.

Por meio de um belo cartão enviado pelo amigo Yuri, fiquei sabendo que Natasha havia passado mal e por esse motivo tinha deixado a festa repentinamente. Em razão disso, pediu ao pai para retornar à Varsóvia, onde o clima propício auxiliaria a volta de sua saúde. Assim, após saber da sua viagem, engolfei-me nos negócios, que dia a dia cresciam a olhos vistos.

Por Deus! Eu prosperava, a riqueza se acumulava em meus paióis. A cada nobre que se arruinava, lá estava eu para abocanhar o que lhe sobrara, regozijando-me do meu feito, principalmente quando os via sob minha força e poder material. Oferecia-lhes sempre uma quantia abaixo da tabela de venda, e em nada cedia para auxiliá-los. E acabava vencendo sempre.

A cada passo eu os esmagava sem dó nem pena, e cada vitória era festejada, tornando-me parceiro da minha própria pessoa: amava-me com fascínio. Era o meu lobo saciado com a carne alheia que conseguia arrebanhar. Estava embriagado pelos meus feitos, pela minha inteligência, já que os outros me desprezavam pela obscuridade da minha origem.

Capítulo 44

Sozinho e abandonado

Ainda na esperança de encontrar o objeto do meu amor, e também porque aos poucos meus serviçais foram me deixando, apavorados com os fenômenos que aconteciam em minha casa, algum tempo depois montei residência em Varsóvia, de onde administrava meus bens.

    O tempo foi passando sem que eu o percebesse, pois vivia enfurnado em meus negócios. Quando dei por mim, o calendário do tempo derramara dez anos a mais de vida sobre meus ombros. Anos de loucuras, de muitas loucuras, orgias, depravação, bebedeiras, sexo e desatinos. Nada na minha vida era engraçado ou interessante, era conduzida por sombras mates, gris e muito breu. Nunca mais parei para apreciar o sol da Rússia, ou suas neves, ou o brotar da sua vegetação. A poesia, a música e as coisas belas sumiram da minha vida. Meu coração estava gelado; meus sentimentos, totalmente frios, como a própria neve dos longos invernos que me acompanharam nesses anos.

Morrera Yuri, meu amigo e pai de Natasha, na mais absoluta miséria. De todas as recordações de convivência com a nobreza russa, a mais leve e pueril era a daquele homem gentil que, nos tempos áureos das minhas emoções joviais, me fizera sentir alegria dos meus feitos, até então positivos.

Mamãe Olga, minha doce mãe, estivera a me visitar, nesses anos, por três vezes. Em uma de suas visitas trouxera consigo o homem que se fizera meu pai, extremamente doente. Ofereci-lhe tudo de bom que possuía, contratando os melhores médicos para tratar dele. Estava no fim a vida árdua que passara entre o campo e a aldeia, no clima frio dos Urais, o que fora decisivo para tomar sua vida.

Mamãe Olga estranhava minha conduta, sempre taciturno e distante. Dizia com tristeza aparente que a sociedade de São Petersburgo moldara meu caráter para pior. Não mais via em mim os dotes e qualidades que eu cultivara na primeira mocidade, lá com eles, entre a agricultura e o amanho do gado. Dizia ela que havia, nas minhas atitudes, luxúria, egoísmo, ambição desmedida e dureza de coração, pois não poupava ninguém.

Muitas vezes cheguei a odiá-la, contradizendo o grande amor que tinha por ela, parecia uma vidente, a ler meu interior tumultuado com muita precisão. A máscara que intentava ajustar na face era por ela arrancada, e, quando eu me via assim, descoberto, intimidava-me, envergonhado e reduzido à minha mesquinhez.

Contudo, com eles, que me haviam criado, nos poucos momentos em que ficávamos juntos, o meu lado bom vinha à tona, ressurgia, e eu desfrutava as boas recordações do passado distante.

Após a última vez em São Petersburgo, assim que voltaram ao campo, recebi a notícia de que papai havia desencarnado algum tempo depois. A bronquite não cedera, e ele partira asfixiado. No mesmo dia em que isso ocorreu, quando seu espírito se desprendeu daquele corpo em farrapo, sofrido, pela grande luta que enfrentara, eu o vi, entre mamãe Nadja e meu avô materno, um tanto ainda debilitado, mas com um enorme sorriso de felicidade, algumas horas depois de seu falecimento.

A visão não durou mais do que alguns minutos, mas foi o suficiente para me pôr de joelhos e gritar por ele: "Papai, papai".

Alguns anos mais se passaram. Minha paixão por Natasha recrudescia, meus atos agora eram irresponsáveis, escorregara pelo crime. Os crimes não eram feitos pelas minhas mãos, mas era criador intelectual deles. Participei da morte de Alexandre II. Projetamos em meus porões uma bomba que os niilistas[47] arremessaram na carruagem em que ele viajava para São Petersburgo.

Para fugir ao burburinho que se fazia com a morte do czar, fui visitar minha mãe Olga em Perm, à beira do Rio Kama, e lá me deixei ficar por algum tempo, até a tempestade política amainar. Comprei cobre, ametista e esmeralda das abundantes minas de lá, e com elas sustentei muitos levantes para terminar com a aristocracia podre que vivia às expensas dos camponeses.

Meu íntimo, aspirando o ar dos campos, afrouxou-se da amargura que carregava e do assédio das sombras. As qualidades do bem, adormecidas, timidamente vieram à tona, me deixando mais humano e mais fácil minha convivência com os semelhantes.

---

47. Nilismo: doutrina filosófica que consiste na negação de todos os princípios religiosos, políticos e sociais. (N.E.)

De vez em quando, pegava uma *troika* com três cavalos fogosos e saía pela estrada lamacenta com a chuva a molhar meu corpo todo, não obstante o pesado agasalho que usava. Sentia que a chuva fria penetrava meu ser e cicatrizava as feridas. Mesmo assim, era um homem solitário, sem amor, sem alguém para compartilhar minhas emoções. As pessoas que de mim se aproximavam queriam sempre alguma coisa material, entretanto compreendia que era a única coisa que possuía para dar, inclusive às mulheres de vida fácil. Não encontrei em nenhuma delas uma fração de piedade ou de misericórdia. Por todos os santos! Vendiam-me seus corpos, mas negavam-me suas almas. Meu dinheiro comprava tudo que dizia respeito a coisas visíveis, menos honra e virtude. Elas estavam acima do meu poderio, por isso minha rebeldia, minha impenitência.

Retornei dos Urais, a bem da verdade, mais humanizado. Mamãe Olga chorou muito com a minha partida. Lamentava-se de me ver sem esposa e sem filhos. Mal sabia ela que no meu íntimo levava uma amargura sem precedente: era uma semente que nunca daria frutos. Eu havia descoberto ser estéril, para minha infelicidade. Mesmo se tivesse Natasha perto de mim, provavelmente seria uma união infeliz.

Passaram-se mais dois anos, e mamãe Olga também partiu para o outro lado. Agora, sim, estava realmente órfão, sem nenhum ente querido onde poderia encostar minha cabeça. Meus irmãos, isto é, os filhos de mamãe Olga, uns morreram na guerra, outros se foram com suas mulheres e filhos para os confins da Rússia, e eu nunca mais tive notícias deles.

Vivi por muito tempo numa total solidão, embora estivesse rodeado de pessoas. Natasha casara há muito tempo com o então empertigado militar.

Mais tarde soube que me enganara quanto a ele. Descobri que ele era um bom político, que trabalhara muito tempo pelas classes menos favorecidas. Soube que fora caluniado por pessoas que se diziam simpáticas à causa revolucionária, contudo, eram traidores e mercenários. Urdiram uma trama política, e ele não teve saída a não ser fugir e se refugiar em Varsóvia, onde Natasha o conhecera e o elegera como seu príncipe encantado. Foi um bravo homem.

Como todo o povo, ele também se encontrava na miséria.

Com a morte de Yuri, eles também empobreceram. Natasha seguiu o pai de cidade em cidade e não teve tempo nem condições para oficializar o casamento de maneira tradicional, aos moldes da Rússia. Viveu por esses anos todos com Anton, tendo com ele um belo menino loiro ao qual deram o nome de Alexandre Peterof Russowsky.

Todos os mais chegados haviam partido para o outro mundo. Dos meus afins, só restava Natasha. Mantive-me sempre a par da sua vida de rebelde.

Enquanto eu nadava em riqueza, locupletando-me ainda mais, a condessinha de Nabokov lambia a lama das estradas, tal como um saltimbanco, acompanhando aquele com quem escolhera viver. Muitas vezes, na minha insânia, buscava-lhe em espírito, por onde andasse. Para mim isso era fácil, e, com a força do meu magnetismo, adormecia meu corpo e me fazia visível à sua frente, atormentando-a.

Frequentemente, quando ela também dormia, conseguia arrastá-la para os meus domínios e mostrava o que ela havia perdido em luxo, riquezas, mordomias e reverências de milhares de pessoas. Tentava possuí-la, forçá-la a ficar sob meus domínios, esmagá-la com a minha soberania, contudo, ela nunca se deixou dominar. Enfrentava-me com desassombro, gritando a todo pulmão: "Não fui sua, nem nunca serei. Afaste-se de mim, monstro das trevas!". E por entre os meus braços fortes ela se diluía para ficar fora do meu campo de força, impedindo que a minha sanha pudesse saciar-se naquele corpo translúcido.[48]

Natasha angariara, com o tempo, muitos amigos invisíveis. Eram entidades que, como ela, defendiam a liberdade de expressão e os direitos iguais. Anton fizera desabrochar nela o sentimento da solidariedade.

"Afasta-te dela, rústico aldeão estúpido, grosseiro", diziam as formas, investindo contra mim e no bando que me acompanhava. E, quando eu me afastava, ainda ouvia os camaradas dela me chamarem de grosseiro, idiota...

A pureza de Natasha era sua maior arma. Só o amor por aquele soldado, aquele ex-hussardo da guarda real, poderia transformá-la no que ela era: uma mulher de verdade. Nestas horas me lembrava de mamãe Olga, do seu caráter inquebrantável. A moral de Natasha era seu maior escudo, e contra isso eu não podia lutar.

Acordava molhado de suor; os efeitos físicos se faziam por toda a parte. A força do meu instinto e do meu magnetismo, aumentada exponencialmente pelos grupos de entidades fantasmagóricas, fazia com que os móveis do meu quarto, os candelabros e tudo que lá existia se movessem, se agitassem como se mãos invisíveis os tocassem com fúria.

Mamãe Nadja, vendo que nada movia meus sentimentos para melhor, afastou-se de mim por um longo tempo. Fiquei assim, rodeado por infernais seres que, às vezes, me aconselhavam, outras, me ordenavam. A influência era mútua. Minha mansão, aos poucos, foi-se esvaziando de criados, todos atormentados e

---

48. Consulte *O Livro dos Médiuns* (São Paulo, Petit), Capítulo 23. (N.E.)

amedrontados com o que acontecia, vez por outra, à luz do dia. O sentimento desapiedado que me envolvia, tal como Midas[49] com o seu ouro, tornava-me frio de sentimentos, fossem quais fossem. Só a paixão desenfreada era o que me movia em qualquer empreitada.

---

49. Lendário rei da mitologia grega que teria recebido o dom de transformar em ouro tudo o que tocava. Diz-se do indivíduo que enriqueceu com facilidade ("tudo que toca vira ouro"). (N.E.)

Capítulo 45

Reencontro com Natasha

A miséria assolava os países da Europa, tanto Ocidental como Oriental, e foi num desses "acasos" que encontrei Natasha em Varsóvia, depois de doze anos sem notícias. Trajava uma saia escura, franzida, que ia até os pés. Usava tamanca de madeira para poder enfrentar as ruas lamacentas e barrosas da cidade. Vestia uma blusa desbotada e, na cabeça, trazia um lenço velho e descolorido. Era apenas a sombra da antiga condessinha por quem me havia apaixonado. Estava extremamente magra, com olhar de fome. Era mais um espectro. Levava pela mão um menino de cabelos cor de trigo, de olhos azuis, melancólicos, com sardas em uma face assustada. Seu aspecto denotava fome também. Quando me viu, tomou-se de espanto e tentou fugir, atravessando a rua, mas eu mais ligeiro. Apressando o passo, tomei-lhe o braço e pronunciei seu nome:

— Natasha Nabokov?

Ela me olhou, envergonhada e assustada, encolhendo-se de medo:

— Não, sou Larissa Russowsky.

— Sim, mas seu nome de solteira era Natasha Larissa Nabokov.

Aí ela não teve jeito e assentiu com a cabeça, desconsolada.

— Que deseja o senhor?

— Não me reconhece mais, Natasha? Sou Sasha, lembra?

— Claro, e como poderia esquecer? Lembro-me, sim, do barine.

— Deixe de formalidade, convido-a para uma xícara de chá. Venha, o frio está intenso, ali tem um bom lugar — mostrei, apontando com o dedo.

— Não — disse-me ela —, não estou adequadamente vestida, e nos enxotariam. Estou atrasada, e minha patroa me aguarda.

— Patroa? — falei, com espanto.

— Sim, por que, não, senhor? Meu pai não foi, como o senhor, previdente. Perdemos tudo, e meu marido, com a guerra, perdeu seu posto na guarda e agora morreu.

— Lamento muito ouvir isso, venha, disse eu, ninguém se atreverá a mexer consigo. O vento está forte, e não poderemos ficar expostos aqui, é perigoso.

Natasha não colocou mais impedimento e, com o filho seguro pela mão, me seguiu. Entramos logo num café que trazia ainda os resquícios das guerras internas do país, pois não estava a contento, mostrando partes ainda destruídas. Sentei-a junto com o menino à mesa, na parte mais afastada, para não criar nenhum tipo de constrangimento, e fui ao balcão fazer o pedido. Solicitei chá quente para nós e chocolate quente acompanhado com pão e mel, entre outras coisas, para o garoto.

Enquanto esperava que nos servissem, pus-me a questioná-la sobre tudo.

Natasha não se fez de rogada, contou-me sua vida de alegrias, tristezas e pobreza e falou-me muito sobre Anton.

Quando a refeição chegou, vi os olhos esfomeados da mãe e do filho ante o que lhe serviam. Meu coração, acostumado à dor alheia e a não se emocionar, naquele instante amoleceu, e os meus olhos, dantes secos a qualquer dor, umedeceram sensibilizados. Quando lhes fiz sinal para que se servissem, ela e o menino não se fizeram de rogados e foram comendo com sofreguidão. Fiz com que repetissem, porque entendi que aquela era a primeira refeição do dia. O menino chegou a colorir as faces após tomar o chocolate, que estava quente e bem substancioso. De minha parte, eu ingeria o chá e me deliciava em vê-los se alimentar. De vez em quando entrevia no olhar de Natasha, que vagava, desconsolo e vergonha, mas a necessidade do corpo era maior e vencia o orgulho. O menino, talvez acostumado às agruras de viandante junto ao pai enquanto vivo, não notou nada, a não ser as rosquinhas, os biscoitos e os pães de ló que mandei servir com chocolate grosso e farto merengue a emoldurar a xícara de boca larga.

Após comerem bem, perguntei onde estavam morando. Ela automaticamente corou, engasgou-se e finalmente disse, ainda com um rasgo de orgulho que lhe sobrara na vida:

— Moro nos cômodos destinados aos serviçais na casa de uma dama opulenta.

Aquela era a hora e a oportunidade de me aproximar dela, finalmente, mas minhas intenções eram sinceras, e não egoístas.

Queria mesmo ajudá-la, talvez em nome da velha amizade com seu falecido pai, e foi isso mesmo que eu lhe disse.

A princípio Natasha recusou o convite com altivez, mas foi vencida pelo inocência do filho:

— Vamos, mamãe, o barine foi tão bom conosco, vamos.

Ela olhou para o filho com carinho, passou a mãos pelos cabelos dourados do menino e concordou com ele.

Assim, meio indecisa ainda, pegamos uma caleça e fomos até o lugar em que eles estavam vivendo. Para minha surpresa, ela entrou pela lateral, demorou alguns minutos e retornou com uma pequena bagagem. Atrás dela, uma falsa dama chamava-a de mal-agradecida, dizendo que Natasha lhe devia dinheiro. De pronto, desci do carro e, sem que a mulher percebesse minha presença, enchi as mãos de Natasha de moedas. Disse-lhe para pagar as dívidas com sua... — com vergonha, pronunciei — "pa-troa", quase num sussurro, para não humilhá-la mais.

Capítulo 46

Nova morada

Entramos na caleça, junto com o menino que tremia, não sei se de frio ou de medo da contundente senhora que demonstrava não ter nenhum gesto nobre.

— Para onde vamos? — falou ela, desanimada e desiludida.

— Logo saberá. Não tema, nada de mau lhe acontecerá.

Quando a olhei, esperando algum questionamento, ela já estava absorvida nas suas recordações, olhando para o vazio. Talvez nem tenha escutado o que eu havia lhe dito, não dando mais importância para o que viria pela frente, entregando-se de corpo e alma à vontade de Deus. O menino, sim, com os olhos brilhantes, fazia-me perguntas:

— O senhor foi amigo do meu pai? Sabe, ele foi um herói, morreu na guerra, mamãe me contou, mas o coitado não nos deixou nada, a guerra nos tomou tudo.

— Cale-se, Alex, não o importune. Ele não deve interessar-se pela nossa história.

Via-se neste momento o velho orgulho acordar dentro dela. Em seu olhar aquela fagulha se acendia e me enlouquecia, pois ela não era como as outras, passiva, subserviente. Tinha personalidade, e isso me incendiava, excitando minha imaginação.

Depois de percorrer muitas ruas e enfrentar um frio outonal, chegamos ao nosso destino.

Quando descemos da carruagem, Alex se deslumbrou.

— Mamãe, é aqui que vamos morar? A senhora vai trabalhar para o barine?

Ao que eu logo tratei de esclarecer:

— Não, meu filho, aqui na minha casa vocês serão meus hóspedes. Ficarão o tempo que quiserem, sem nenhum custo ou serviço para ambos.

Natasha replicou:

— E por quanto tempo? E depois, para onde vamos? — e se pôs a chorar silenciosamente, tomando um lenço já carcomido para enxugar as lágrimas.

Meu coração voltava à vida, o gelo se desfazia, e respondi com a voz embargada:

— Se você quiser, pode ficar para sempre. Moro aqui há muito tempo. Desisti de viver em São Petersburgo. Lá, em minha mansão, havia demais recordações, e eu queria esquecê-las. Como também na cidade, fui abandonado pelos meus empregados, assustados com as coisas espirituais que lá se faziam. Além do mais, eu lhe devo muito.

— Você ouviu, mamãe? Ele disse para sempre — e, puxando-lhe o tecido da roupa, continuou: — Viu, mamãe? As suas preces foram ouvidas por Deus, ele nos mandou um anjo.

Quando o menino assim se referiu à minha pessoa, meu coração apequenou-se ao lembrar da vida desregrada e bandoleira que vivia. Com certeza, eu não tinha nada de anjo.

— Vamos — disse ao garoto, para esconder meu constrangimento —, suba as escadas e bata naquela argola de bronze, enquanto ajudo sua mãe a retirar seus pertences da carruagem. Logo alguém atenderá.

De fato, ao som da batida apareceu o criado, que abriu a porta de carvalho olhando-nos com surpresa ao ver os hóspedes que eu trazia para casa. Todavia eu me adiantei e lhe disse que eram convidados meus e que os alojasse nos cômodos mais confortáveis.

Natasha, desajeitada, foi entrando, primeiro com uma certa humildade, mas, à medida que observava o interior luxuoso da minha propriedade, foi erguendo o corpo e levantando a cabeça, com altivez.

— Barine, você tem certeza de que nos deseja aqui? Atualmente não tenho insígnia nem títulos. Para lhe ser sincera, sou uma fugitiva da lei. Se nos pegarem com o senhor, também terá complicações.

— Ah, Natasha! — respondi. — Você esquece que o dinheiro compra tudo?

— Ah — fez ela desalentada —, é verdade, havia me esquecido desse detalhe. — E me olhou com azedume: — O barine sempre obteve o que quis, pois compra tudo.

— Pois não consegui comprá-la, lembra-se? — e então me lembrei da última discussão que tivemos tido, há muito tempo.

— Mas agora — falou Natasha — não tenho como enfrentá-lo, embora saiba de antemão que não me desejaria da maneira que estou.

— Vamos — disse eu —, porque não baixamos as armas e deixamos de discussões improdutivas? Brusk irá levá-los aos seus cômodos no piso de cima. Há água quente nas torneiras. Tomem um banho. Vou sair para ver se encontro algo para o menino. — E, rodando os calcanhares, saí atrás de roupas para o tamanho dele.

Fui a vários teares e voltei com muitas peças para aquela criança à qual eu já me afeiçoava. Se tivesse casado com Natasha, ele poderia ser meu filho. Estava tomado de uma alegria há muito tempo esquecida. Voltava à vida. Sim, à vida decente, íntegra. Desejava ajudar pelo simples prazer de fazê-lo, sem nenhuma intenção escondida. Quando cheguei a seus cômodos, estavam lavados e de roupas simples, porém limpas. Entreguei o embrulho para o menino e outro tanto para Natasha, ansioso para que os desembrulhassem. Alex não se fez de rogado, e à medida que examinava as peças, exultava, com exclamações de alegria. Natasha, ainda assustada e desanimada, também abria os pacotes e observava as roupas de alta qualidade com que eu a brindava.

— Gostaram? — perguntei, satisfeito com as compras.

— Sim — disse-me ela. — Nota-se que você não perdeu o bom gosto. São lindas e boas; mas como vou pagá-las, se não possuo um níquel?

— Não estou pedindo recompensa de forma alguma. É um presente pela nossa amizade, e lhe dou em nome do seu pai, a quem muito estimei.

O menino, após me agradecer, não ficou cogitando como iria me pagar. Foi até a sua cama, trocou-se, achando-se um príncipe. Pedi que Natasha também trocasse a roupa modesta pela que eu tinha comprado. Com certa resistência, assentiu em vesti-la. Solicitei que colocasse também o chapéu de feltro, para completar o traje, o que ela fez com relutância.

— Você não acha um desperdício, tudo isso? Até quando irá nos aguentar? Nada temos para lhe oferecer, a não ser a experiência da guerra. Sasha — foi a primeira vez que me chamou pelo nome —, lembre-se: sou viúva, mas é como se não fosse, continuo a amar meu marido, e não espere nada de mim.

Entristeci-me. Minha intenção naquele momento era das melhores, mas, ao mesmo tempo, lembrei-me das investidas noturnas para possuí-la e enrubesci. Será que ela se lembrava daqueles episódios que me deixavam desconfortável à sua frente? Não, dizia para mim mesmo, ela podia levar para o plano do sonho ou do pesadelo aquelas investidas, só eu sabia da veracidade daqueles encontros soturnos.

Após a pausa em que aqueles pensamentos, num relâmpago, me vieram à tona, tornei a replicar que lhe estava fazendo um obséquio em nome do passado.

Mais tarde passamos para o salão de banquetes onde havia um piano branco, de cauda, muito bem afinado. Ao chegarmos ao salão, o piano, sem mais nem menos, começou a tocar irrefletidamente. Corri para ele e fingi que o dedilhava, para não assustá-los, mas o menino, esperto, comentou:

— Que estranho, parecia que o piano tocava sozinho.

Pela minha visão sensorial,[50] antevi a presença de mamãe Nadja e do conde Nabokov nos dando boas-vindas. Mais tarde soube que foi ele que ajustou aquele encontro. Mentalmente supliquei que não estragassem tudo e que Nadja parasse de tocar,

---

50. Visão sensorial ou dupla vista. Para mais informações, consulte *O Livro dos Médiuns* (São Paulo, Petit), Cap. 14, questão 167. (N.E.)

para não assustar os hóspedes. Aí toquei eu mesmo algumas árias russas e pedi para que Natasha me acompanhasse a quatro mãos. A princípio se fez de rogada, tinha as mãos calejadas pelos trabalhos rudes, mas depois cedeu, e tocou comigo por um longo tempo.

Alex, boquiaberto junto a nós, disse:

— Mas eu nem sabia que a senhora sabia tocar. Nunca a ouvi dizer que conhecia música.

Natasha foi aos poucos baixando a guarda e estava quase feliz, enquanto eu também me deliciava com o instrumento e tocava as antigas modinhas, muito à moda nos salões da Rússia nobre.

Depois executei alguns clássicos com a destreza que me era peculiar. Natasha escutava com respeito e aplaudia no final da execução.

— Eu não sabia — disse ela, alegre — que você tocava tão bem.

— Ah — disse feliz —, deixe de me elogiar, não sou nenhum mestre, mas exercito muito quando não estou nos negócios. A música me relaxa.

Num rasgo de agradecimento, tomei-lhe a mão e a beijei suavemente, todavia, senti que ela, educadamente, se esforçava para não retirá-la, e a magia diluiu-se ali.

Para disfarçar o desencanto, chamei alguns criados para servir a ceia do crepúsculo, enquanto o frio outonal pedia lareira acesa. As lâmpadas da rua já haviam sido acesas, e os candelabros da mansão estavam sendo cuidados pelos servos. Após alguns minutos, fomos chamados para cear. Brusk, meu empregado, fizera um repasto caprichado, colocou na mesa pratos de porcelanas finas, acompanhados por taças de cristal, completando o serviço de mesa com talheres de prata.

Natasha, quando viu tudo aquilo, ficou com os olhos marejados de lágrimas, e dava a impressão de que tinha vontade de fugir. O passado de grandeza, acostumada com o requinte dos jantares, avivava-lhe na memória a riqueza de sua juventude perdida. Percebendo-o, pedi-lhe desculpas. Não queria afrontá-la. Ao que ela respondeu:

— Conde, não posso fazê-lo descer da sua riqueza para acompanhar a minha miséria. Apenas tudo isso lembra o que eu outrora não valorizava e perdi. Mas, enfim, estou numa casa rica e tenho que me acostumar com as regras que movem sua residência.

Sentamos os três e comemos em silêncio. Apenas algumas recomendações eram pronunciadas por Natasha, que repreendia Alex por mastigar com ruído. Ela o admoestava para comer de boca fechada e com educação.

Natasha conhecia todas as taças da mesa, assim como se servia com atitudes requintadas. Sua beleza era realçada pela chama da luz e pela roupa que vestia. Naquele instante parecia que o tempo não tinha passado, e que estávamos no castelo dela para a festa oferecida pelo seu pai. Comemos e bebemos tranquilamente, sem nenhum incidente. Depois fomos para a sala contígua, mais íntima, onde nos foi servido um chá digestivo que o menino recusou. Já era bem tarde quando nos recolhemos. Natasha e Alex encaminharam-se para seus cômodos, e eu fui para o meu aposento. Aquela noite quase não dormi. Rememorava passo a passo aquele encontro, nos seus mínimos detalhes, e agradecia à mamãe Nadja e ao conde pelo feliz encontro.

Não queria que nada viesse atrapalhar a estadia da viúva de Anton. Já não a cobiçava, como na juventude, com aquela chama que não nos dá trégua. Minhas emoções eram mais contidas, contudo, a desejava. Ela era a única mulher que eu realmente queria na vida.

Aquela noite foi de apreensão e expectativa positiva, de sonho, quem sabe de assumir, junto a ela e o filho, uma vida normal, sem os amigos escusos, tanto do plano físico como do invisível.

Capítulo 47

Um pouco de paz

O dia raiava, e eu, ainda acordado, revirava-me na cama de enorme espaço, sem que o sono viesse. Vultos inquietos me rodeavam, espreitando meus pensamentos para saber qual a atitude que tomaria naquela situação. Meus companheiros, obscuros e densos, no corpo espiritual, me instigavam a tomá-la de surpresa. Afinal, Natasha estava sob meu teto e à minha mercê.

"*Vamos*", diziam eles, "*aproveita o ensejo. Estamos contigo para o que for necessário. Não era isso que querias? Tê-la sob o mesmo teto para possuir o seu corpo e aprisioná-la? O que estás esperando? Prepararemos o terreno para ti.*"

Um frio gélido perpassou-me a coluna, enquanto eu fazia um balanço real a respeito daqueles vultos malignos, e avaliei com quem me relacionava. Eles não passavam de irresponsáveis que só queriam se divertir e me perverter. Eu era prisioneiro da cilada que eu mesmo criara para mim. Escondi o quanto pude minhas intenções e pensamentos. Embora eles me fossem fiéis, agora estranhavam minha atitude. Um passo em falso poderia prejudicar e magoar Natasha e seu filho. Então eu dissimulava, para ganhar tempo, distraindo-os: "Não, não podemos assustar a caça. Amanhã veremos o que fazer".

Então respondeu o que parecia ser o chefe: *"Muito bem, aguardaremos, mas não se esqueça de que nos deve favores, precisamos de diversão para passar o tempo".*

Intimamente assombrado, falei: "Está bem".

Avaliei naquele momento com quem eu estava metido. Meus pensamentos estavam mais claros, e eu estremeci, pois se tratava realmente de espíritos ferrenhos no erro, na luxúria, na libertinagem. Como me desfazer deles era para mim uma verdadeira incógnita.

Assim, eles me deixaram e saíram para fazer baderna pelos arredores da cidade, possivelmente em bares e bordéis, seus locais preferidos. Era muitas vezes em fétidas pocilgas que eu os arrebatava, em espírito, para investidas menos felizes aqui e acolá. Agora estava a par da verdadeira confusão em que estava envolvido, sem saber como sair dela. Mas enquanto pudesse mantê-los sob minha influência e sagacidade, eles nada poderiam fazer em prejuízo dos meus hóspedes, certos estavam de que iriam participar de uma grande orgia, como tantas que presenciaram à minha volta.

Finalmente dormi, um sono agitado e apreensivo. Liberto do corpo, em espírito, fui com eles aos lugares a que estava acostumado e avaliei que estava comprometido até o pescoço com aquelas entidades sem lei e sem escrúpulos, que aceitavam qualquer empreitada, desde que fosse para se divertir ou praticar maldades.

Andei com eles, fingi estar na mesma sintonia, participei das orgias, porém cada vez mais me assombrava com os grupos com os quais me associara. Voltei à mansão e lá fiquei por um bom tempo, ao lado do meu corpo, pensando no grande problema que havia arrumado para mim mesmo. De manhã, o criado foi até a minha suíte e, de mansinho, chamou-me. Eram nove e quarenta.

— Patrão, patrão, seus hóspedes já estão de pé, posso servir-lhes o desjejum?

Acordei, ainda sem muito tino, e perguntei, mal-humorado:

— Que hóspedes?

— Os que o senhor trouxe ontem, eles estão na sala e o aguardam para a primeira refeição do dia.

Foi aí que a minha mente se clareou e lembrei.

— Claro. Não os deixe esperar, logo descerei. Que não esperem por mim.

Virei para o outro lado e continuei a dormir. A noite de descalabro, mesmo fora do corpo, deixara-me exausto.

Soube depois que Natasha e o menino haviam feito a primeira refeição com muito apetite. Estavam no jardim observando as flores outonais e apreciando as folhas das frondes das árvores se despencarem dos mais altos galhos e, em rota sinuosa, alcançarem o chão.

Era meio-dia quando desci, já de banho tomado, barba feita, com uma nova roupa, bem-disposto e com bom humor. Cumprimentamo-nos alegremente.

— Então — falei —, foram bem tratados? Alex, serviram-te um bom chocolate? Dei ordem, ontem, para prepararem um bolo de chocolate bem recheado para hoje de manhã. Você o provou?

— Sim, senhor, estava muito bom, obrigado — e continuou: — Senhor, vi que tem belos cavalos nas cocheiras. Gostaria de montar, se me for permitido.

— Claro — falei —, desde que saiba cavalgar.

Natasha interferiu:

— Deus nos livre. Alex nunca montou, nem mesmo nestes que puxam *troikas*. Imagine conduzir um puro-sangue.

— Ah! — exclamei —, pois então vou mandar alguém treiná-lo, para montar num dia desses, estamos entendidos?

O menino ficou exultante com a expectativa de conduzir um cavalo de raça.

— Barine — falou Natasha —, observo que há roupas suas necessitadas de cuidado. Sou boa na agulha e no cerzimento. Se me permitir, posso consertá-las.

Fiquei chocado com aquele servilismo, que não combinava com a antiga condessinha de São Petersburgo, e respondi, impassível:

— Não a trouxe para cá para serviços domésticos. Deixe isso aos cuidados da criadagem.

— Desculpe-me. Eu só queria ser agradecida e também útil. Acostumei-me ao trabalho diário e aos serviços cotidianos.

Perguntei-lhe:

— O que você fazia quando morava com o seu pai em São Petersburgo?

— Ah, vivia de pura amenidade: bordava, tocava piano, passeava a cavalo, ia à missa e frequentava os salões de festas. Essas futilidades de ricos — falou, arrependendo-se em seguida. — Desculpe, não quis ofendê-lo.

— Pois então siga à risca o que fez no passado: borde, exercite o piano, cavalgue, vá à missa, e eu providenciarei que frequente salões aristocráticos.

— Mas... — fez ela, surpresa —, hoje estou desacostumada, posso até voltar a fazer tudo o que você relatou, menos frequentar salões. Nego-me a viver com pessoas que foram responsáveis pela morte de Anton. E, num rompante, saiu sem pedir licença, pois lhe veio à mente que estava de favor na casa do conde Sasha Dimitri Koslowsky.

— Não se incomode, barine — disse Alex —, mamãe sente muita falta de papai e não se conforma com sua morte.

Passei a mão pelo cabelo louro do menino e o fiz entrar também.

Ao adentrar na mansão, dei com ela, absorvida, junto com um velho serviçal, a examinar uma toalha que estava à espera de que alguém a bordasse. Fiquei mais sereno, pois tinha medo de que ela fosse embora. Sabia o quanto era voluntariosa, nem a pobreza havia-lhe domado o gênio. Se eu a forçasse a fazer alguma coisa que não quisesse, decerto não se subjugaria e me abandonaria.

Ao me ver, falou entusiasmada:

— Veja, Sasha, já tenho um trabalho para executar. Que lindo pano para bordar. Falta escolher linhas adequadas para embelezar este tecido.

— Escolha as cores — disse eu — que mandarei trazê-las para você hoje mesmo, mas espero que tenha tempo para executar muitas músicas ao piano e nos brindar com elas nos saraus que faremos só para nós.

— Sasha Dimitri, você não me acha velha demais para me pôr a tocar? Isso é coisa para jovens, e eu já não sou mais uma — falou, com certo amargor. — Gostaria de fazer algo mais útil, como confeccionar roupas para os desvalidos. Há tanta criança morrendo de frio e tanto velho carecendo de abrigo.

— Pela Santa Rússia, estou desconhecendo-a. Você, participando de trabalho de caridade? Realmente não a conheço mais, não sei se fico alegre ou triste, pois, convenhamos, boa parte de si de que gosto a guerra machucou, e quem sabe eliminou.

— Barine, doze anos de estrada nos fazem desenvolver a solidariedade, e se hoje penso nos outros, foi porque Anton me ensinou. Essa foi a maior herança que conquistei. A solidariedade nos faz crescer como seres humanos. Nunca se sabe o dia de amanhã. Você não vê o meu estado? O que eu fui e o que sou?

Calei-me, nunca tinha visto, depois que fiquei rico, as pessoas por este lado, mas admirei-a. Natasha havia mudado, seu lado humanístico era visível, obra de Anton, como disse ela, por isso respondi:

— Faça como quiser, tem carta branca, peça para meu mordomo o que necessitar, eu providenciarei.

Lágrimas marejaram-lhe os olhos. Ela os abaixou e apenas disse um obrigado sincero.

Capítulo 48

Encontro durante o sono

Os dias foram se passando, feitos de saudade e boas recordações da minha mocidade. Sentia-me velho, um pouco cansado, e já não tinha esperança de Natasha desejar espontaneamente me amar.

Conheci Anton certo dia em que estava desprendido, em sono profundo, e o vi proteger Natasha e seu filho. Ele afastou da minha casa os baderneiros invisíveis que queriam entrar. Junto dele, estavam outros seres de melhor aspecto. Via-se que eram espíritos bons, a serviço do bem. Fiquei muito feliz com aquela intervenção. Natasha, a essas alturas, dedicava-se a bordados, ao piano e fazia aulas de equitação junto ao filho. E, como boa cristã, frequentava a igreja.

Às vezes me enfadava, porque conhecia muito bem a sanha do clero, movido a montantes de dinheiro, mas, enfim, era sua fé, e eu não podia interferir. Contratei um padre para dar aulas ao seu filho e fiz com que soubesse com destreza conduzir um puro-sangue.

Certo dia, livre do corpo físico, em espírito, encontrava-me no jardim admirando o firmamento e os milhões de estrelas quando pressenti a presença de Natasha ao meu lado.

Olhei-a com deslumbramento. Seu perispírito emitia uma luz azulada de uma beleza que jamais tinha visto em minha vida. Contrário a mim, que não tinha luz nenhuma. Ela me convidou a sentar no banco, e, mais do que nunca, eu não conseguia refrear meu amor. Acabei declarando-me mais uma vez, ao que ela me respondeu com uma história:

— Sasha, lembra do sonho do esquife e a bailarina no caixão?

— Sim — respondi.

— Também lembro que muitas vezes a bailarina se transformava em mim, e eu pedia para você me libertar.

— Sim, mas não entendia essa ligação de vocês. Por que me pergunta?

— No passado, em outra existência, eu o amei muito, e você também me amou. O que nos atrapalhou foi sua obsessão pelas coisas que lhe pertenciam. Quando menina, participava do balé oficial do império real e adorava o que fazia. Nós já nos conhecíamos, éramos prometidos, todavia você tinha ciúmes da minha vocação. Eu passava muitas horas treinando, exercitando, aprendendo novos passos. À época, eu estava com catorze anos e faria a minha primeira apresentação oficial para toda a monarquia. Você era filho de aristocratas, estava com dezenove anos, e, logo que subisse de posto como militar, iríamos nos casar. Todavia, eu não queria ainda, pedia mais tempo aos meus pais. Era jovem, idealista e muito requisitada por todos para a arte do balé.

Havia então entre os jovens um que me amava e me disputava, mas eu, obediente aos meus pais, já tinha decidido casar-me com você, porque também o amava. No dia do balé, fui ovacionada na apresentação, todos me aplaudiam de pé, eu era a principal figura naquele quadro, e minha professora pretendia me destacar das demais pelos meus dotes e disciplina. Ao término da execução da dança, o meu camarim estava tomado de ramalhetes de flores e todos queriam me abraçar, inclusive você e Anton, que foi meu marido nesta vida. Ingenuamente, ele me abraçou e me deu discretamente um bilhete, que eu amarrotei na mão para depois soltar numa gaveta da penteadeira. Mas isso não passou despercebido de você, que interpretou tudo errado. Anton dizia no bilhete que, se eu não fosse me encontrar com ele na colina, no dia marcado, ele iria se matar. Mais tarde você interceptou o bilhete, foi no meu lugar, sem o meu conhecimento, e o empurrou lá de cima, matando-o. Depois, achando que eu tinha algo com ele, me envenenou. Envenenou-me, com um líquido que me deixou paralisada, asfixiada, com morte aparente, e morri, finalmente, ao ser sepultada. Era por isso que eu pedia em sonho para você me libertar dos sortilégios.

— Mas pensei que aquilo fosse só sonho. Então nascemos mais de uma vez?

— Claro que sim, mas não entendo muito disso. O que sei é que vivi esta história, tenho certeza, por isso até hoje tenho receio de você. Tive uma morte horrenda, graças aos seus ciúmes infundados. Quando você tentava me cativar, eu gelava e sentia que um líquido frio corria pelas minhas entranhas e me paralisava. Até hoje, se você se aproxima muito de mim, um mecanismo que eu não sei explicar aciona, e a sensação de asfixia e morte se apodera do meu corpo, e não sei como evitar. Foi por esse motivo que vim até aqui, finalmente, para resolvermos nossas diferenças. Por favor, não insista, hoje tenho por você uma afeição sincera, mas acredito que jamais serei sua. Se me forçar a tomar uma atitude em agradecimento, tenho a sensação de que morrerei ao seu primeiro toque.

Capítulo 49

Relembrando um passado distante

O antigo ciúme veio à tona, e eu estremeci de ódio, de raiva, de impotência. Entendi que, com uma pressão a mais, a perderia. Sua fortaleza era mais aparente do que verdadeira, e os anos que vivera com o marido haviam deixado seu organismo debilitado. Muitas vezes a ouvia tossir por quase toda a noite, o que prejudicava seu sono. Abaixei a cabeça com muita tristeza, e falei, sem muita convicção:

— Vamos ver, minha querida, ainda vou lhe conquistar o coração. O tempo é o melhor remédio, e eu espero, não tenho pressa.

Toquei-lhe a mão, e ela estremeceu ao meu contato, entretanto não a repugnava, apenas sentia um receio que custava a dissimular.

Naquele tempo eu modificara minha vida noturna, já não mais procurava mulheres fáceis para

saciar meus desejos nem ficava feliz com algum rico arruinado que me procurasse. Sempre tentava ajudar da melhor forma possível, a fim de não dificultar mais a situação deles. Conquistei a paz e a esperança no coração, e a alegria veio novamente se estabelecer em minha vida.

Aqueles dias pareciam o momento de resolver tudo que não estava resolvido. Em uma outra noite, em desdobramento novamente, em uma sugestão mental que não sabia de onde vinha, lembrei-me da visão que tivera há muito tempo, do casamento do qual fugira, já no altar, quando bandidos por mim contratados me arrastaram do enlace matrimonial em uma encenação bizarra. Qual o motivo daquilo? Vi-me contrariado, como se estivesse obrigado a um compromisso que não me agradava. Foi quando enxerguei a presença do espírito majestoso de Olga, envolta em uma luz maravilhosa e vindo em minha direção, flutuando no ar como se fosse uma simples brisa.

Sorridente, pegou-me pela mão e demandamos pelo espaço volitando.

— *Vem* — disse-me ela.

Quando dei por mim, estava em uma região que não me era desconhecida. Entramos na mesma capela em que deixara a noiva sozinha no altar, e ela me perguntou:

— *Recorda?*

Foi como se houvesse acionado um dispositivo na minha mente, e eu despertei a recordação que julgava perdida nos labirintos do tempo. Vi-me, então, de linhagem nobre, mas de alma pobre. Meus desatinos materiais levaram-me à ruína, obrigando-me a um casamento de negócio com Natasha. À época, Yuri era meu pai, condescendente com as minhas estripulias. Eu era um jogador compulsivo. Perdi o resto que minha família possuía em bens, obrigando todos a viver na maior penúria. Então meu pai conseguiu um casamento, às pressas, tratado em uma taverna, com um rico comerciante ávido por um título para sua primogênita. Eu era avesso ao compromisso, mas não tinha volta: ou o casamento, ou a desgraça, pois os bens estavam nas mãos de agiotas. Quando consenti no enlace, meu sogro resgatou as promissórias, todavia não previu o desenlace. Eu forjei o assalto, paguei regiamente meus raptores, e nunca mais apareci na região. Levei comigo uma bolsa substanciosa do dote que requeri por antecipação e adentrei outros países como um novo rico. Estabeleci-me em uma cidade grande, onde era difícil ser encontrado. Envolvi-me com muitas mulheres, mas, como era uma alma instável, não formei família com ninguém. Meu pai, que era homem de palavra, foi aos poucos definhando. Deu para beber e morreu na miséria, enquanto minha noiva nunca mais conseguiu outro noivo. Todos fugiam dela, uma vez que achavam que ela estava sob efeito de bruxaria, e eu nunca mais fui encontrado. Natasha parou de se alimentar, envergonhada e desprezada por todos, que viam nela objeto de chacota, e acabou morrendo muito magra. Tive, nessa vida de descalabro, mais pontos negativos do que positivos. Entretanto, fiquei irremediavelmente ligado à sua vida e, a partir de então, passei, nas demais encarnações, a conviver com ela, de uma forma ou de outra, a apreciá-la, e por fim a amá-la com sofreguidão. Nossos destinos estavam enlaçados, porém não havíamos terminado nossas diferenças.

— *Viste, meu filho? Foi a partir daí que tudo começou.*

Olhei-a e, por entre uma névoa, vi, num átimo, outras passagens, contando histórias que não me abonavam em nada.

— *Agora* — disse-me ela —, *é conduzir a vida sem olhar para trás. Não force nada, para não vir a se arrepender mais tarde. Aprende a amar sem possessão.*

E, ao voltar, mamãe Olga deixou-me junto ao meu corpo carnal. Fiquei ainda por um longo tempo rememorando todo aquele passado que caminhava ainda comigo, mantendo-me em relação com antigos comparsas. Talvez meus companheiros de orgias fossem os mesmos do passado, atraídos pelas minhas baixas vibrações.

E foi assim que novamente adormeci.

Capítulo 50

Um testamento

No outro dia, ao me levantar e fazer o desjejum junto com Natasha, falei do meu desejo de reconhecer Alex como meu legítimo e universal herdeiro. Não queria morrer e deixar tudo que construíra nas mãos do governo, e, como ele era filho único e Natasha também, era mais do que justo que Alex, que eu considerava agora como meu filho, usufruísse a minha fortuna na minha ausência. Após nos alimentarmos serenamente, pedi-lhe que fosse ao meu gabinete, pois desejava partilhar o segredo de família que, de certa forma, dizia-lhe respeito.

    Natasha, intrigada, sem poder entender que segredo eu tinha que também lhe dissesse respeito, seguiu-me. Abri a porta que mantinha sempre trancada e, fazendo-a sentar em um grande sofá, mostrei o retrato da minha verdadeira mãe. Vi que ela ficou intrigada, pois seu pai possuía um igual, pintado a óleo, como aquele. Após examiná-lo, com discrição falou:

— Mas este retrato pertence à primeira esposa de papai, que morreu no parto quando ele viajava para administrar seus negócios.

— Pois bem — falei —, a primeira esposa de seu pai era minha mãe.

— Mas, então, como...

— Minha querida, essa é uma longa história, e vou pô-la a par.

E aí narrei tudo, nos mínimos detalhes. Falei até nas primeiras notas que aprendi ao piano com minha mãe, que me ensinou em espírito.

— Quer dizer então que Alex estava certo aquele dia? O piano tocou sozinho?

— Sim — assenti —, mas como dizer a você que é um fantasma que me acompanha, se a igreja diz que não existe fantasma, e sim demônios?

— Sasha Dimitri, que história inverossímil! É por isso, então, que você ajudava papai desinteressadamente?

— É que eu queria que, na realidade, ele fosse meu pai, e o amava como se o fosse. Se vocês não viessem para Varsóvia, eu o teria ajudado até hoje. Meus sentimentos para com seu pai eram filiais. Mamãe teve os gêmeos, mas um deles morreu; eu fui raptado por tia Wolga, enciumada porque não podia conceber. Quase fomos parentes. Por isso nossas vidas entrelaçadas. A fortuna que seu pai não quis de mamãe Nadja, tia Wolga abocanhou. Todavia, no leito de morte, com medo do inferno, fez um testamento legando-me todos os seus bens. Parte deles era de minha mãe, e, por direito, deveria pertencer ao seu pai.

— É por isso, então, que você quer fazer Alex seu herdeiro universal?

— Sim — respondi —, estou devolvendo a vocês, com juros, o que lhes foi roubado.

— Mas, Sasha, você ajudou muito o papai.

— É verdade, mas, para que ele não desconfiasse do meu segredo, cobrava-lhe o juro no câmbio oficial, que era baixo e de fácil pagamento.

Natasha agora não tinha nenhuma repugnância e agradeceu-me do fundo do coração, abraçando-me.

— Agora entendo por que você nos resgatou da rua.

— Também por isso — falei com reticências —, mas também porque a amo sinceramente. Se hoje sou outro homem, é porque você está aqui comigo, sob o mesmo teto.

— Ah, meu amigo, você é o irmão que eu não tive. Apesar do tempo de viuvez, continuo amando Anton.

E eu respondi baixinho:

— Agora, novos encontros só em outra existência.

— É — disse ela sorrindo —, você tem razão, é uma pena. Sasha, retornemos ao salão e deixe-me digerir devagarzinho tudo que acabou de me contar. É uma história e tanto. Pobre papai, morreu sem saber de tudo isso. Por que ainda nos prometem, desde pequenos, para quem nem conhecemos? Assim foi o casamento dele, um consórcio de negócio, onde só quem ganhava eram os pais dos noivos. Lamento por sua mãe e pelo seu verdadeiro pai, que morreu enforcado. Que Deus tenha piedade de ambos. A culpa de tudo isso é das leis da sociedade, e dos preconceitos. As regras sociais deveriam existir para facilitar as nossas vidas, e não para dificultá-las ainda mais, pois viver nesse mundo já não é fácil, e obedecer a regras absurdas ainda é pior.

Capítulo 51

Os espíritos se manifestam por toda a Europa

Depois da conversa com Natasha, tratei logo de resolver a questão da herança. Fui até o tabelionato e mandei redigir meu testamento em benefício dela e de Alex, mas nada falei aos meus herdeiros. Pensava ainda viver muito, era saudável, forte e vigoroso. Embora tivesse algum desconforto com as experiências extrafísicas e com minha paranormalidade, torcia para que essas coisas não fossem doença.

Na Rússia, bem como em outros países, principalmente na França, estavam muito em moda as experiências psíquicas com pessoas detentoras de dons mediúnicos. Tomava conhecimento dessas coisas, primeiro porque estava envolvido com isso, depois porque lia muito sobre o assunto em periódicos que me chegavam de todas as partes. Médiuns entravam em transe dentro de um gabinete previamente preparado, deitavam o sensitivo, amarrando-o de modo que não pusesse a experimentação sob suspeita de fraude. Para comprovar os fenômenos de efeitos físicos, usavam dois baldes, colocados defronte do gabinete do médium experimentado: um com parafina fundida em alta temperatura, outro com água fria. Só depois de ter feito uma investigação minuciosa nos gabinetes e nos baldes é que instalavam o sensitivo. A partir de então, enquanto a assistência cantava algumas árias, o fenômeno ia-se processando naturalmente, e as materializações iam aparecendo. Decerto que não eram os espíritos celestiais que se aproximavam, mas as entidades iguais ou inferiores ao agrupamento. Alguns se aproximavam, colocando uma perna ou um braço no balde com parafina, em alta temperatura, para em seguida mergulhá-lo no balde com água fria, desmaterializando-o após. Os membros esculpidos ficavam boiando na água, dando prova cabal da presença dos espíritos. Comecei a tomar conhecimento disso logo que cheguei à cidade, na época em que cheguei à mansão em ruínas, que foi quando minha experiência pelo mundo dos espíritos começou a se manifestar na casa e na minha vida.

Dizem que os castelos antigos são todos mal-assombrados. A minha mansão não foi exceção à regra. Depois que eu a habitei, nunca mais me apartei dos espíritos. Foram minha sombra. Mancomunei-me com uns, desprezei outros, mas, enfim, era minha vida de solitário, sem pai, sem mãe. Só os encontrei na forma de andarilhos. Muitas vezes, no começo, vinham me assustar e aterrorizar. Eu era jovem, tinha a emoção à flor da pele. Como minha vida estava vazia de afeto genuíno, eu me vinguei dela tornando a vida dos outros também um inferno. Estava dando o troco, na via de duas mãos: do "toma lá e dá cá".

Foi com a presença de Natasha na minha residência em Varsóvia, minha última morada, que meu coração amoleceu. Embora não fosse amado por ela como gostaria, ela me dedicava carinho fraternal, respeito e admiração. Por enquanto, aquilo me bastava, refrigerava o instinto nômade que pairava aqui e acolá, sem nunca criar raízes. Tinha o temperamento aventureiro, muitas mulheres me amaram, muitas me dedicaram seu carinho, quem sabe até seu amor, entretanto passei por elas como se fosse um tropel. Não tinha saudade de nenhuma. Elas eram apenas uma sombra que passara em minha vida, mal lembrava de suas fisionomias.

Ah, a vida, a memória, as experiências, mesmo malogradas, sempre nos deixam lições. Se pensamos que ao deixar a vida física tudo se modifica, estamos redondamente enganados, pois tudo fica igual, não há mudanças bruscas. Tal como na vida física, tudo obedece a um cronograma natural — mesmo que se fale bem dos espíritos ou se fale mal, eles sempre existirão —, mas o mais desolador é que, quando estamos vestindo a indumentária carnal, pensamos que tudo acaba com o túmulo. Não lembramos ou esquecemos que vivemos para sempre, saindo de uma dimensão para outra, a caminho do progresso. Uns julgam um castigo a vida além da morte, porque se veem às voltas com suas ações, seus atos infelizes. A consciência, na dimensão extrafísica, é muito mais ativa, mais crítica, julgamo-nos com severidade. Eu disse "nós nos julgamos", pois aprendi nessa vida de erros e acertos que o único julgamento que temos está no interior de nós mesmos.

Cavamos nosso inferno na base dos remorsos, ou nos libertamos dos liames da matéria pelos bons atos e, assim, adquirimos as delícias do paraíso criado por nós mesmos.

Capítulo 52

Um ataque das trevas

O tempo inexorável passava, o inverno retornava sempre. A neve caía como um sudário, a tempestade de granizo desfolhava as árvores, o vento rígido zumbia, selvagem, desmoronando os montículos de terra enfeitados de flores. Árvores de troncos longilíneos vergavam ao som do vento de música sibilante que fazia a vegetação movimentar-se num ritmo alucinante. Nas residências, as lareiras fumegavam, e taças de chocolate competiam com o chá inglês, servidos com biscoitos de nata, torta de nozes ou de maçã entre senhoras e senhores que participavam do lanche da tarde.

Natasha, naquele dia invernal, estava, mais do que sempre, triste e angustiada. Pressentia vultos que lhe davam calafrios, gelando-lhe o sangue. Alex estava retido no palácio de Varsóvia. O frio intenso e a neve permanente o impediam de cavalgar. Eu viajara para São Petersburgo a serviço dos meus compromissos de negócio. A estrada de ferro estava impedida de funcionar, porque a neve havia obstruído a passagem do trem. As locomotivas que estavam a caminho de Varsóvia continuavam estacionadas na beira da estrada. *Mujiks* das cercanias, junto com suas *troikas* e cavalos, trabalhavam com denodo para desobstruí-la. Chocolate quente era oferecido pelas camponesas, que tentavam ajudar os passageiros, pois tiritavam de frio. Alguns denunciavam pneumonia, a febre queimava suas resistências.

Eu estava entre eles, vindo de São Petersburgo, e ajudava no que podia, impaciente para chegar em Varsóvia. Entardecera cedo, como é habitual no inverno, e as lâmpadas das ruas crepitavam. Podia observar nas estradas de ferro as tochas iluminando a linha para que os homens que trabalhavam freneticamente nelas pudessem identificar os trilhos.

Em casa, Natasha, febril e ansiosa, estava na penumbra do salão de música a observar a neve que caía. Dividida entre duas dimensões, via, com os olhos espirituais ainda confusos, a cortina que dividia a sala involuntariamente se movimentar, em um movimento desfocado. A princípio pensara na possibilidade de algum serviçal a espioná-la, mas, não, a cortina se abrira lentamente, e uma cabeça de lá saíra. A figura tinha a tez morena, olhos negros, e o rosto era ornado de barba e bigodes castanhos. Assustada, e como que entorpecida, via aquela cabeça ora retirar-se, ora aproximar-se, até mostrar-se até os ombros. De repente a cortina se abrira, e diante dela se apresentara a forma de um homem. Usava camisa listrada de flanela e uma calça de astracã. A cabeça estava envolvida por um pano igual a dos beduínos do deserto. O homem era alto e esguio, dos seus olhos saíam chispas de um fulgor magnético. O ser era ágil e esbelto, trazia na postura a sordidez dos velhacos e a atitude passional de espírito corrupto. Deslizava em sua direção. Ela ficara petrificada, e não conseguia mover um músculo. Sem nenhum escrúpulo, o espírito depositara em sua boca um beijo e, com sua força magnética, impusera-lhe silêncio.

Natasha, como um autômato,[51] seguiu para o seu quarto de dormir, sempre de forma mecânica, como se estivesse sendo controlada. Trocara de roupa com cuidado, preparando-se como se fosse para as núpcias. Colocou sua melhor camisola, levantou o cabelo, ornamentando-o com uma fita vermelha, calçou um chinelo de salto alto, coberto de plumas delicadas, e sobre a camisola vestiu um longo roupão de veludo bordô. Sentada numa banqueta, em alta almofada em frente à penteadeira, pôs-se a passar ruge nas faces e batom nos lábios, numa maquilagem forte que, entretanto, contrastava com a palidez do seu colo.

Por trás dela, o beduíno colocara-lhe um colar de esmeralda para enfeitar o pescoço nu. Com a cabeça e um sorriso maquiavélico, fazia sinal de aprovação.

---

51. Saiba mais em *O Livro dos Médiuns* (São Paulo, Petit), Capítulo 23 — Obsessão — questão 240 (Subjugação). (N.E.)

Capítulo 53

O socorro vem de Anton

Era madrugada quando uma caleça me deixou à porta da mansão. Ao chegar de viagem, observei que numa janela do segundo piso ainda havia luz. Paguei o cocheiro, atravessei o jardim e de imediato entrei. Estava congelado e molhado até os ossos. Tirei a capa longa de lã que estava encharcada e fui até a borda da lareira para me aquecer um pouco, quando ouvi um barulho que vinha lá de cima. Ao tentar verificar o que estava acontecendo, dei com Natasha, como se fosse um espectro, branca como a neve, mas provocante, que me acenava, convidando-me a subir. Estranhei, mas aceitei o convite. Subi os degraus com destreza e fui até seu quarto fracamente iluminado. A porta estava semiaberta, empurrei de leve e chamei-a. Natasha, sentada em frente ao espelho, passava a escova de madrepérola sobre o cabelo, levantou-se e entregou-me os lábios de amora para um beijo. E disse sem constrangimento:

— Amor, amor, quanto tempo esperei, beije-me, beije-me, preciso de você muito, muito.

Surpreso, mas feliz, envolvi-a em beijos ardentes e apaixonados. Nos intervalos, sussurrava:

— Meu amor, meu amor, por fim eu a tenho.

E, com paixão, pus-me a beijar seus ombros, seu rosto, enquanto o roupão se abria, descia e caía no chão. Docilmente deixou-me levá-la para a cama e beijei seus cabelos sedosos, sua pele louçã, seu rosto lindo.

— Meu amor, você me quer, não me repudia mais? — eu perguntava com sofreguidão.

Quando levantei a cabeça e a olhei, vi que ela estava sob sono sonambúlico, provocado não sabia por quem. Aí, dei um grito de horror e decepção. Natasha estava hipnotizada. Apenas pronunciava palavras de amor, sem senti-las. Os olhos vagueavam pelo quarto e não viam nada, estava totalmente alheia ao que se passava à sua volta.

— Não — disse eu —, assim não, não posso tê-la sem que participe do encontro.

Levantei, coloquei-lhe o traje de dormir, fui até o térreo, aqueci água, pus numa bacia e subi. Ela continuava alheia, apenas dizendo:

— Meu amor, meu amor.

Molhei uma toalha, torci-a e a passei quente sobre seu rosto, sobre seus ombros, pelos seus braços e mãos, dizendo:

— Natasha Larissa, eu te ordeno, acorda, acorda em nome do Poder Supremo.

Enquanto pronunciava as palavras com energia, batia-lhe levemente no rosto.

Neste ínterim, eu vi o espírito de Karl Ruslavna, o andarilho que me acompanhava nas noites de orgia, quando, em desprendimento, chafurdava-me nos bacanais. Ele me sorria irônico, maligno:

— *Amigo, sirva-se. É para essas coisas que existimos. Presenteei-lhe o corpo dela, preparei-a para você.*

— Desgraçado — retruquei —, quem te disse que era assim que eu a queria? Das outras, era apenas o corpo que me interessava possuir; esta não, quero tê-la de corpo e alma. Saia daqui. Está proibido de penetrar em minha residência. Se voltar, colocarei uma malta de bandidos que irão lhe escorraçar.

Karl Ruslavna desapareceu como por encanto, enquanto Natasha se livrava do magnetismo de que se sentia possuída e reagia, gritando por ajuda:

— Socorro, socorro, sinto-me aprisionada, salvem-me.

— Calma — pedi, fazendo-a me olhar. — Já passou, isso não vai mais acontecer.

— Ah, meu Deus, sentia-me sufocar. — De repente, dando conta de como estava vestida, falou desesperada, se encolhendo na cama: — Você se aproveitou de mim! Como pôde?

— Alto lá — falei —, foi você que se atirou nos meus braços, como eu ia adivinhar que estava sob pressão magnética? Chamou-me para o seu quarto e entregou-me os lábios para eu beijar.

— Ah, meu Deus, como isso pôde acontecer? Entretanto, eu já pressentia, passei o dia acuada, nervosa, apavorada. Senti que vultos me espionavam, assim mesmo achei que era excesso de imaginação, talvez influenciada pelo dia turvo, pelo vento incessante que fazia trepidar as janelas e essa neve que não para nunca de cair, me sentia tão só. Alex, após ficar sem nada o que fazer, foi à casa de um amigo para estudarem juntos. Você não estava, e eu me impressionei.

E, em lágrimas, contou-me:

— Quando a tarde decrescia e a luz do dia morria, eu vi um homem moreno aparecer pela cortina da peça contígua, a sala de música. A princípio pensei que fosse um serviçal aguardando ordens e que passeava pelas cercanias do salão. Quando dei por mim, o espírito estranho caminhou em minha direção e me impôs silêncio. Daquele instante em diante passei à mercê da sua vontade. Fez-me colocar a melhor camisola, sugeriu-me o roupão novo que ganhei de você de aniversário. Forçou-me a pintar o rosto e sugeriu que eu colocasse o colar de esmeralda, tudo isso com pensamento imperioso. Em torno de mim havia uma força que me obrigava a obedecer. Sasha, sei que nos arredores da Rússia existem muitos magos e até feiticeiros cruéis, criaturas dadas a fazer o mal a outrem por muitos rublos. Agora, aquele homem parecia pertencer a outro mundo, ao mundo dos... espíritos... Ah! Como sou infeliz e solitária. Quero de volta o meu Anton, como viver sem o seu amor, sem a sua solicitude, sem o seu carinho? Quero — chorava inconsolável — meu esposo de volta, não aguento a saudade. — Cobria o rosto com as mãos, desesperada.

— Meu amor, vem me buscar! — clamava infeliz.

Neste instante, apareceu a figura imponente do hussardo Anton, aproximou-se dela e a afagou com carinho e mentalmente disse:

— *Minha querida, a morte roubou-me apenas o corpo, sempre que puder estarei com você. Agradeça a Deus por ter um bom amigo que cuida de você e do nosso filho. A vida na Terra não é para sempre, um dia nos encontraremos. Tenha paciência, por ora tem de ser assim.*

E, após beijá-la com carinho, desvaneceu no ar.

Guardei grande ressentimento e ciúme do amor que ela devotava àquele ser que não pertencia mais ao mundo dos vivos, entretanto eu estava ali, lhe dedicando todo o meu amor, e não era correspondido.

Assim, suas palavras me feriram profundamente. Como podia dizer que era infeliz e solitária, se eu, nesses anos de convivência, vivera especialmente para ela e para seu filho? Minha dedicação, então, não era por ela compreendida? Perdera negócios importantes em outros países para não me afastar do seu convívio, e agora ela me atirava no rosto sua tristeza e solidão. Suas palavras feriram profundamente meu orgulho. O que ela queria mais, se repudiava o meu amor, o meu coração que palpitava pelo dela? Até as orgias, as farras, os bordéis eu havia dispensado por sua causa, e, no entanto, me respondia com ingratidão. Naquele instante, embora magoado, fiquei firme, consolando-a, ajudando-a. Aconselhei-a a mudar de roupa, que não era apropriada para o inverno. Depois a deitei, deixando-a confortável. Chamei a serva de quarto e mandei preparar um caldo reconfortante. A tosse voltou a incomodar, sem dar trégua. Naquela noite, como nunca, voltou persistente. Fiz tomar o chá de menta com mel e fiquei à sua cabeceira até que ela dormisse. Quando ia me retirar, Natasha me chamou:

— Sasha, Sasha, não me deixe sozinha, não esta noite, tenho muito medo. Por favor, fique aqui comigo. O frio e a solidão hoje estão piores do que em outros dias.

Eu sabia que aquele convite não era amoroso ou íntimo, de um casal, mas provava que confiava em mim. Sentia-se segura com a minha presença. Voltei da porta e resignadamente falei:

— Está bem, vou ficar na cadeira, trarei alguns cobertores e velarei pelo seu sono.

— Assim está bem, agora posso dormir descansada. Obrigada, meu amigo, hoje estou mais cansada do que nos outros dias, mas, sabendo que vela por mim, dormirei sem medo.

Capítulo 54

Ajudando os necessitados

Deitei-me com as roupas que havia trocado, que estavam secas e confortáveis. Cobri-me com alguns cobertores e fiquei por um longo tempo meditando, até que o sono me dominou. Dormi profundamente. Se tive sonhos, não lembrei deles ao acordar. Quando abri os olhos, dei com Natasha mais disposta e já vestida para o desjejum. Quando a olhei, estava bem perto do meu rosto, observando-me com quase enternecimento. Senti-me recompensado, e uma esperança de leve se fez dentro de mim.

— Fique mais um pouco — disse-me —, ontem lhe dei um bocado de trabalho. Quer que lhe sirva leite com café aqui em cima?

— Não — respondi —, também vou levantar, e já está tarde.

— Está bem, vou aguardá-lo na sala das refeições, para lancharmos juntos.

Beijou-me a testa e saiu suavemente.

— Diacho — praguejei —, quem vai entender essas criaturas? Mulheres: dóceis, medrosas, ariscas. Caramba, vou envelhecer sem conhecer suas índoles.

Fui para o meu quarto, fiz a higiene, barbeei-me e desci, e lá estava ela, esperando-me com paciência. Alimentamo-nos em silêncio, quebrado pelo tilintar dos talheres. Quando terminamos, perguntei por Alex e quando voltaria.

— Hoje mesmo — respondeu. — Nunca mais o deixo dormir fora de casa, sua presença fez-me falta. Fiquei apreensiva. A propósito, peço desculpas por ontem. Fui uma ingrata e agradeço pela compreensão. Na realidade, não compreendi mesmo o que se passou comigo, talvez tinha sido a melancolia do dia o que impressionou meu humor. Gostaria de lhe fazer um pedido.

— Pois faça-o — respondi —, até hoje não lhe neguei nada.

— Bem — disse ela, um tanto constrangida —, no salão comunitário da cidade há muitos desabrigados que necessitam de agasalho, estão sem sapatos e sem abrigos para dormir. Se você me autorizasse, compraria algumas peças na Casa de Lã e faria doação em seu nome.

— Está bem, tem a minha autorização, faça como quiser. Deixe a nota com o chefe da casa comercial. Mais tarde passo lá para pagar.

— Você é um homem bom, Sasha Dimitri Koslowsky. Deveria se casar e formar família.

— Não, obrigado, não quero me casar, e, quanto à família, já tenho uma — disse, referindo-me a ela e Alex.

— Bom — falou ela —, eu não sou exatamente uma família para você, ou como queria, mas se assim lhe serve, que seja.

— Está bem — falei para não alongar o assunto que não me fazia muito bem. — Mandarei atrelar a carruagem, o cocheiro a levará. Compre o que achar necessário.

Natasha colocou uma túnica grossa de lã e, contente, tratou logo de tomar a carruagem e sair às compras. Quando voltou, trazia o semblante iluminado de íntima alegria. Contou-me com regozijo que adquirira gorros, casacos de lã crua, botas, calças de lã, cobertores, mantas e aproveitara também para incluir alguns gêneros alimentícios. Com isso, atendeu seis famílias das mais necessitadas. Estava leve como uma borboleta, quase feliz, seus olhos denotavam gratidão e expressavam bondade.

— Anton deve se orgulhar de mim, Sasha, e está contente consigo, certamente, porque me proporcionou uma forma de aprender a exercitar a solidariedade que ele conseguiu despertar no meu espírito egoísta. Hoje, mais do que nunca, entendo quando ele falava da satisfação íntima que se tem quando se faz um benefício aos menos favorecidos. É uma alegria sem igual.

Eu ainda não participava daquela alegria nem a compreendia, mas se aquilo a deixava feliz, para mim era o suficiente.

Capítulo 55

O futuro de Alex

Os invernos iam passando paulatinamente para dar lugar às curtíssimas primaveras. Depois de muitos invernos e primaveras, Natasha definhava com o passar das estações, e notava-se sua preocupação com o filho. A tuberculose, doença muito comum na Rússia, adquirida na vida pobre que levou com Anton, mal alimentada sob o rijo inverno e suas intempéries, deixou seu corpo enfraquecido, somada ao amor perdido, Anton — a melancolia adoece tanto a alma como o organismo.

Um dia, sentados na sala onde ficava o piano, ela virou para mim e disse:

— Não gostaria de deixá-lo desamparado, é tão triste ser órfão. Você terá o encargo de ser pai e mãe se eu faltar, Sasha. Custa-me deixá-lo com essa incumbência.

Eu retrucava:

— Quem disse que vai partir, como se atreve a pensar nisso? — fazia gracejo. — Coma bem, tome direitinho o remédio receitado pelo médico e cuide-se. Logo ficará boa para usufruir a vida. Você, se quiser, pode ainda ser muito feliz...

— Mas você se engana, não estou reclamando da vida, e, a bem da verdade, hoje entendo que sou feliz. Mas sinto a saúde fugir do meu corpo, sem que eu possa alguma coisa influir. Meus pulmões não se decidem pela cura, estou sempre com falta de ar, e isso me angustia.

Peguei-lhe a mão e a levei à boca, beijando-a:

— Se eu pudesse, não permitiria que a doença fizesse parte do seu corpo, mas estou aqui para lhe dar força e apoio, você conhece meus sentimentos — falei num sussurro —, pois a amo.

Natasha retirou delicadamente a mão de entre as minhas e me beijou a face.

— Como eu gostaria de lhe retribuir com o mesmo sentimento, porém sou-lhe agradecida por tudo e não sei como vou um dia pagar.

— Psiu — fiz, colocando a mão em sua boca —, sua presença já é um agradecimento, e não se comenta mais nada.

Dessa forma, a saúde de Natasha foi se arrastando até os quinze anos de Alex. O menino estava um verdadeiro homenzinho, a barba ensaiava aparecer, e ele era alvo das donzelas da redondeza, isto é, da alta sociedade de Varsóvia. Tinha um porte elegante, esguio, era alto até demais para a sua idade, mas já passara do estirão desengonçado que acontece na adolescência. Participava, como campeão de equitação, das corridas de obstáculos, e fazia a cabeça dos apaixonados por esse esporte. Sentia-me orgulhoso, era responsável pela sua educação e instrução. Quando ia à hípica, só recebia elogios. Alex era considerado o ídolo dos nossos esportes na área de equitação. Meu coração vibrava de prazer, pois ele era como se fosse meu legítimo filho, e me amava como se eu fosse seu verdadeiro pai. Seu porte atlético falava da sua beleza externa e da sua meiguice interna. Nós nos amávamos muito. Natasha tinha boa índole, não deixando nosso amor empanar seu critério na distinção entre o certo e o errado.

Alex era um belo rapaz e meu filho pelo coração.

Epílogo

Enquanto Alex desabrochava para a vida com saúde e robustez, Natasha definhava a olhos vistos. Perdera o viço da mocidade. Seus olhos perderam o frescor, e olheiras ao seu derredor davam à fisionomia uma aparência triste e doentia. Certo dia, quando vínhamos do esporte favorito de seu filho, a encontramos retida ao leito. A camareira veio ao nosso encontro falando baixinho, a nos dizer que a senhora vomitava muito sangue e a havia proibido de nos contar.

Quando chegamos ao quarto, ela queimava em febre e perdia o juízo. Estava à beira da morte e, sem nos ver, conversava com os mortos que lhe antecederam a partida. Eu, que tinha sensibilidade desenvolvida, percebi que "os nossos" haviam vindo buscá-la. Lá estavam o conde, mamãe, Anton e um benfeitor de luminescência que ofuscava os demais. Devia ser seu anjo protetor, porque foi ele que a abraçou em espírito na ânsia da morte, retirando-a dos despojos mortais. Por fim, seu corpo vergastado pela enfermidade entregava-se. Pela última vez o piano tocou, pelas mãos invisíveis de minha mãe, a Rapsódia Húngara n° 3[52], muito do seu gosto. Fechei os olhos de Natasha com as lágrimas a transbordar dos meus, sem que pudesse contê-las.

Alex, num gesto de afeto filial, abraçou a mãe e a embalou no seu colo, chorando silenciosamente, e, baixinho, cantou uma ária muito conhecida em nosso tempo, que falava de vida, vento na grama, flores no campo e vida nos vales.

Saí para preparar-lhe o catafalco[53]. Por ser muito religiosa, chamei um pope para encomendar sua alma. Mandei confeccionar muitas coroas de flores como última homenagem à mulher que sempre amei e que jamais possuí por inteiro, entretanto nosso destino ficou entrelaçado. A partir dali viveríamos muitas outras existências sem o espinho do ressentimento, da competição e demais desavenças.

Afastei-me de minha casa resignado. Minha habitação tinha no ar o sombrio cheiro da morte. Afastei-me para me ocupar dos preparativos do enterro.

Encomendei a missa de corpo presente, para a qual acorreram muitos convidados. Lá fora, nas cercanias da mansão, muitos pobres auxiliados por Natasha vieram também prestar suas últimas homenagens e trazer o seu adeus. Quando os criados me colocaram a par do que ocorria, de imediato fiz que os portões fossem abertos para que eles também pudessem entrar.

---

52. Parte de um conjunto de dezenove obras para piano baseadas na música folclórica húngara, do compositor e pianista Franz Liszt. (N.E.)
53. Estrado sobre o qual se coloca um caixão durante o velório. (N.E.)

Sobre o catafalco cercado de círios,[54] estavam os despojos mortais da minha amada, já preparada para o cerimonial. O czar e a czarina mandaram seus representantes; afinal, tratava-se de uma filha de nobres que muitos feitos honrosos ofertaram à Rússia Imperial. Banqueiros, aristocratas da mais alta hierarquia lá compareceram. A câmara mortuária estava superlotada. Olhei seu esquife com uma interrogação: quando iríamos novamente nos encontrar? O amor não correspondido chorava no meu interior, enquanto recebia as condolências. Sua presença em minha casa nunca fora muito bem entendida pela classe social em que eu transitava. Não éramos casados, nem amantes. Era difícil pessoas corruptas ou maledicentes entenderem um relacionamento entre um homem e uma mulher em que houvesse uma simples amizade, sem cobranças pessoais ou amorosas.

Neste meio-tempo, enquanto se faziam as homenagens à querida desencarnada, eu recordava quando a levava a cumprir comigo obrigações sociais, apresentando-a como minha hóspede muito querida. Todos custavam a entender esse acerto. Eu era conhecido pela fama de conquistador que não tinha interesse algum em compromisso que me levasse ao altar. Casamento com outra que não fosse a minha Natasha nunca esteve nos meus projetos. E, de repente, eles me viam conviver com alguém que casara com um renegado, não possuía dote nem um bem para me fazer ter um compromisso sério. Era um assunto insolúvel na sociedade da Rússia e da cidade de Varsóvia. Mulheres casadas e antigas amantes convidavam-me para encontros amorosos ou para suas festas mundanas. Depois que Natasha firmou residência em minha habitação, que foi seu lar, nunca mais frequentei tais festas.

---

54. Velas grandes. (N.E.)

Algumas mulheres, mais impetuosas, enfrentavam-me com perguntas à queima-roupa, do tipo "você fez votos religiosos, virou padre ou está fazendo penitência?". Contudo, nada me irritava. Eu era amável com todas, deixando sempre um toque de mistério em torno de minha vida privada. As mundanas odiavam Natasha, viam nela um empecilho aos seus ganhos; essas não foram dar o último adeus à minha querida. Provavelmente ficaram exultantes com seu decesso, e, de qualquer forma, jamais as convidaria a frequentar nosso ambiente. Eu provara de uma nova atmosfera, que no momento me bastava.

 Alguns dias depois, estava eu em minha poltrona favorita, a ruminar minha vida com os olhos indiferentes ao que se passava ao meu redor, quando senti no rosto uma lufada de ar. Um vapor morno e agradável envolveu meu ser, como se tivesse sendo afagado por mãos de fada, e uma sensação de felicidade mexeu com minhas emoções. Subitamente, por entre uma névoa, vi a figura fulgurante de Natasha, com o mesmo vestido esplendoroso do nosso último baile, quando vivíamos em São Petersburgo. Ela me fitava com amor, de seus olhos se desprendiam chispas de luz cariciosa, e falava-me mentalmente: "*Sasha Dimitri, eu o amo do fundo do meu coração.*".

 Como se deslizasse nessa atmosfera feliz que só os eleitos podem provar, aproximou-se de mim e, pela primeira vez, beijou delicadamente meus lábios para selar aquele amor incompreendido. Sussurrante, falou: "*Querido, agora temos uma missão: educar Alex, fruto do nosso amor em antigas eras. Naquele tempo, nosso egoísmo nos fez perdê-lo para a guerra. Nesta vida precisamos resgatá-lo para ser um cidadão cônscio dos seus deveres como indivíduo. Fiz o que pude, agora começa sua vez de protegê-lo e continuar, com esmero, a educação dele.*".

Meus olhos se encheram de lágrimas. Olhei o objeto do meu amor, tão próximo e tão distante, uma barreira invisível se interpondo entre nós. *"Adeus"* — disse-me —, *"cuide-se, por ora preciso partir, mas voltarei muitas vezes para visitá-lo, adeus."*

— Adeus — respondi emocionado.

Aquele encontro extrafísico foi um conforto. Despertado, empertiguei-me na poltrona. Uma estranha felicidade me visitava. Estava feliz, seu desencarne trouxera-a para mim.

O mais certo para mim, porém, era que os mortos não morriam, eles se desprendiam do corpo perecível para viver a vida em espírito. Quem tivesse plantado sementes ruins iria colher resultados ruins; quem plantasse as boas, obviamente colheria bons frutos. Para mim, assim era a vida.

Vivi mais alguns anos na companhia de Alex, aperfeiçoando sua educação. Ele foi um bom filho; considerava-me seu verdadeiro pai. Quando completou vinte e cinco anos, passei todos meus bens para ele administrar, já que há muito tempo era meu herdeiro universal. Logo se casou e encheu a mansão com muitos filhos, que me deram muitas alegrias. Morri, ou melhor, desencarnei envolvido por ele e pelos meus netos.

Enfim, tive a família que tanto desejara.

Em evolução deixei a Terra, mas não me desvencilhei dos meus atos. Ao entrar para o mundo dos espíritos, teria que avaliar minhas ações e, se possível, ter comiseração dos que feri e magoei. E, como sempre acontece nessa vida de aprendizado, fui perdoado por poucos. A maioria dos espíritos que prejudiquei pediu-me contas com juros altos, que tive que saldar na caminhada da vida, por meio de muitas provas.

O mais curioso foi que, na minha velhice, as forças demoníacas — como eram chamadas à época — haviam arrefecido;

meu gênio, serenado, mesmo não esquecendo o que praticara em toda a minha vida. Nossa memória sempre tenta lembrar o passado e, na idade avançada, ela é ainda mais cruel: as imagens estão presentes. Hoje isso me faz compreender Wolga com seus ataques de consciência. Mas eu não os tive na minha vida encarnada. Dizia para mim mesmo que o que estava feito, feito estava. O futuro resolveria essas questões. Eu não tinha ilusão de haver lugares determinados para castigos ou mesmo para a beatitude de justos e santos imaginários, como aqueles que a Igreja, por pesados rublos, beatificava, e eu via após a morte sofrendo de aflição por atos escusos desconhecidos. Bem, isso é outra história. Amar e viver na matéria é correr riscos permanentes. A entrega deve ser inteira, sem remorsos, mesmo que isso resulte em árduas provações. Enfim, descemos a este mundo para aprender, refazer caminhos, multiplicar conhecimento, desenvolver emoções. As etapas vão se sucedendo quase ao infinito, já que a eternidade é uma constatação. Somos imortais. Nesta fase de estágio evolutivo em que estamos, nada é definitivo, entretanto o certo é que viveremos.

Os girassóis voltaram a florescer com todo seu esplendor nos campos da Rússia, mas meu coração, angustiado e seco por falta do combustível da convivência com Natasha, se esgotou. Finalmente, tive de enfrentar a justiça da minha consciência, porque ninguém se livra dela após o desencarne.

FIM